LE CID

PIERRE CORNEILLE

Le Cid

PIERRE CORNEILLE
(1606-1684)

C'est à Rouen que naît Pierre Corneille, le 6 juin 1606. Le père est maître des eaux, la mère fille d'un avocat. Ils auront six enfants. Leur fille cadette deviendra la mère de l'écrivain Fontenelle.

Pierre Corneille est déluré, et a l'esprit vif. C'est le meilleur élève du collège de Jésuites de Rouen. Licencié en droit à dix-huit ans, il s'initie à la procédure et, pour les beaux yeux d'une Catherine Hue, taquine la muse. Nommé en 1628 avocat du Roi aux eaux et forêts, il le restera vingt-deux ans, à raison de trois audiences par semaine. *Mélite*, l'une de ses comédies, dédiée à Catherine, est jouée à Paris. Encouragé par ce succès, il écrit *Clitandre, La Veuve, La place Royale, La Galerie du Palais*.

À 29 ans, il est le premier des auteurs comiques français. Le succès ne lui a pas apporté l'amour. La mère de Catherine a préféré que sa fille épouse un conseiller-maître à la Cour des comptes plutôt qu'un avocat rimailleur. Lequel change de registre. Avec *Médée* (1635), *L'Illusion comique* (1636) et surtout *Le Cid* (1637). C'est un triomphe. Louis XIII fait jouer trois fois la pièce, et anoblit le père de l'auteur, afin que son dramaturge préféré n'ait pas la noblesse trop fraîche. Richelieu, lui aussi, offre une pension. Tout Paris s'extasie, ce qui agace les jaloux. Ils accusent Corneille de plagiat, parce qu'il s'est inspiré d'un texte de l'Espagnol Guillen de Castro. Richelieu doit intervenir pour mettre fin à la polémique. On a reproché à Corneille son manque de rigueur et de dépouillement. Il relève le défi avec *Horace* (1640), puis *Cinna* (1642).

Les envieux se sont tus. Pierre Corneille est considéré comme le plus grand écrivain français vivant. Pourtant il est triste. Richelieu, le croisant, lui en demande la cause. Corneille est amoureux. De la fille d'un lieutenant-général. Richelieu convoque le militaire, insiste, menace... Corneille épouse Marie de Lampérière, en 1641. Elle est de onze ans sa cadette, et mènera à ses côtés une existence fort discrète. Ils auront sept enfants. Les fils embrasseront la carrière militaire.

Corneille partage son temps entre Paris et Rouen, où il a pour amis les Pascal, dont le fils, Blaise, est un génie... Thomas Corneille, le frère cadet (né en 1625), écrit lui aussi des pièces. Entre les deux frères, aucune jalousie, mais au contraire la volonté de « rentabiliser » leur nom. L'auteur de *Polyeucte* (1643) met aussi en vers les grands textes chrétiens. Il mène une vie bourgeoise, en veillant à ne point déplaire aux Grands. Pendant la Fronde, il reste attentif à ce que ses vers ne puissent être exploités, ou mal interprétés, par l'un ou l'autre parti. En 1647, il est reçu à l'Académie française et, en 1650 vend sa charge d'avocat.

La troupe de Molière passe par Rouen en 1658. Corneille invite à sa table le directeur de la troupe, et une comédienne, surnommée Marquise Du Parc. En était-il vraiment épris ? Il retrouvera Marquise cinq ans plus tard, à Paris où il s'est installé, pensionné par Louis XIV. Un jeune auteur la courtise : Jean Racine. Racine, son cadet de vingt ans, — et rival — qui le traite de « vieux poète malintentionné ». En 1670, tous deux écrivent chacun une pièce sur le même sujet : *Tite et Bérénice* pour Corneille, *Bérénice* pour Racine.

Le second l'emporte auprès du public. Bon joueur, Corneille donnera quand même sa voix à Racine, lorsqu'il se présentera à l'Académie française.

En 1665, il a perdu l'un de ses fils. Un autre meurt en 1674, année de *Suréna*, sa dernière tragédie. C'est devenu un homme las, désabusé, même si le roi, en hommage, fait représenter à Versailles cinq de ses pièces. 1680 : il tombe malade. Sa fille Madeleine, dominicaine, renonce au couvent pour le soigner. La reprise d'*Andromède* (1682) est son dernier triomphe public. Il ne sort que rarement de sa maison de la rue d'Argentières. Il meurt le 1er octobre 1684, à Paris, veillé par sa fille.

Seuls, après lui, Voltaire et Victor Hugo obtiendront de leurs contemporains autant d'estime et de reconnaissance.

« Tout Paris pour Chimène a les yeux de Rodrigue », a dit Boileau évoquant la création du *Cid*, à la fin de 1636 ou au début de 1637. Il convient de se replacer dans le contexte psychologique et moral de l'époque pour comprendre l'enthousiasme qu'elle a soulevé, ainsi que la formidable querelle esthétique qu'elle a également suscitée. Comme l'a joliment écrit André Fraigneau, « ce message d'honneur et de grandeur tomba sur un terrain préparé au sublime ». Cette tragi-comédie, sans doute la plus célèbre du patrimoine dramatique français, avait été inspirée à son auteur par *Les Enfances du Cid*, une pièce de l'écrivain espagnol Guillén de Castro publiée en 1618 et qui reprenait certaines données d'un abondant cycle légendaire et poétique remontant au *Cantar de mio Cid*, épopée sans doute composée au début du xiie siècle.

Le cardinal de Richelieu fut l'un des premiers admirateurs du *Cid*, qu'il fit représenter à plusieurs reprises dans son palais : le conflit de l'amour et de l'honneur, transcendé à la fin de la pièce par le geste d'apaisement du roi Fernand de Castille, geste souverain par excellence, ne pouvait que recevoir son assentiment en un temps où toute son action visait à poser les fondations de la monarchie absolue. Pourtant, la pièce fut bientôt attaquée avec la dernière violence, notamment par Scudéry et par Mairet, auteur en 1634 de la première tragédie « régulière » française, *Sophosnibe*. Ils lui reprochaient ses invraisemblances, ses fautes de bienséance et ses

« irrégularités » dans l'application de la règle des trois unités. Corneille trouva toutefois de brillants avocats, notamment en la personne de Guez de Balzac qui fit opportunément observer qu'« il y a des beautés parfaites qui sont effacées par d'autres beautés qui ont plus d'agrément et moins de perfection ».

Soucieux d'éteindre une polémique qui menaçait ses prérogatives en matière de goût, Richelieu sembla alors abandonner le parti Corneille et demanda à l'Académie française, créée par lui trois ans auparavant, de trancher. Sous la plume de Jean Chapelain, elle publia, toujours en 1637, *Les Sentiments de l'Académie sur le Cid* dans lesquels, tout en reprenant une partie des critiques de ses détracteurs, elle loua la puissance dramatique et « l'agrément inexplicable » de la pièce. Elle disculpa enfin l'auteur des accusations de plagiat. L'orgueilleux Corneille en conçut cependant un ressentiment tel qu'il se réfugia dans un silence ombrageux avant de prendre sa revanche avec *Horace*.

« Type immortel de la jeunesse, non dans ce qu'elle a de faible, de trouble, d'incertain, mais dans sa plus haute expression d'énergie, de désintéressement de cœur, de tendre courage », comme l'a encore écrit André Fraigneau, *Le Cid* a survécu victorieusement à toutes les générations, à toutes les modes et à toutes les parodies (le cruel Racine ne s'en est pas privé dans *Les Plaideurs*). On se souviendra que c'est dans *Le Cid* qu'un jeune comédien nommé Gérard Philipe connut son premier grand triomphe. C'était le 15 juillet 1951, au festival d'Avignon : « Grâce à lui, notera le critique Jacques Lemarchand, c'était la tragédie française tout entière qui faisait son entrée dans le cœur et dans l'esprit des milliers et des milliers de jeunes spectateurs. »

LE CID

À MADAME DE COMBALET[1]

Madame,

Ce portrait vivant que je vous offre représente un héros assez reconnaissable aux lauriers dont il est couvert. Sa vie a été une suite continuelle de victoires; son corps, porté dans son armée, a gagné des batailles après sa mort; et son nom, au bout de six cents ans, vient encore triompher en France. Il y a trouvé une réception trop favorable pour se repentir d'être sorti de son pays, et d'avoir appris à parler une autre langue que la sienne. Ce succès a passé mes plus ambitieuses espérances, et m'a surpris d'abord; mais il a cessé de m'étonner depuis que j'ai vu la satisfaction que vous avez témoignée quand il a paru devant vous. Alors j'ai osé me promettre de lui tout ce qui en est arrivé, et j'ai cru qu'après les éloges dont vous l'avez honoré, cet applaudissement universel ne lui pouvait manquer. Et véritablement, Madame, on ne peut douter avec raison de ce que vaut une chose qui a le bonheur de vous plaire; le jugement que vous en faites est la marque assurée de son prix; et comme vous donnez toujours libéralement aux véritables beautés l'estime qu'elles méritent, les fausses n'ont jamais le pouvoir de vous éblouir. Mais votre générosité ne s'arrête pas à des louanges stériles pour les ouvrages qui vous agréent; elle prend plaisir à s'étendre utilement sur ceux qui les produisent, et ne dédaigne point d'employer en leur faveur ce grand crédit que votre qualité et vos vertus vous ont acquis. J'en ai ressenti des effets qui me sont trop avantageux pour m'en taire, et je ne vous dois pas moins de remerciements pour moi que pour *Le Cid*. C'est une reconnaissance qui m'est glorieuse, puisqu'il m'est impossible de publier que je vous ai de grandes obligations, sans publier en même temps que vous m'avez assez estimé pour vouloir que je vous en eusse. Aussi, Madame, si je souhaite quelque durée pour cet heureux effort de ma plume, ce n'est point pour apprendre mon nom à la postérité, mais seulement pour laisser des marques éternelles de ce que je vousdois, et faire lire à ceux qui naîtront dans les autres siècles la protestation que je fais d'être toute ma vie,

Madame,

Votre très humble, très obéissant
et très obligé serviteur,

CORNEILLE

AVERTISSEMENT

Mariana, *Historia de Espana*, 1. IV, chap. v.

« Avia pocos dias antes hecho campo con D. Gomez,
« conde de Gormas. Vencióle, y dióle la muerte. La que
« resultó deste caso, fué que casó con doña Ximena, hija
« y heredera del mismo conde. Ella misma requirio al rey
« que se le diesse por marido (ca estaua muy prendada de
« sus partes) o le castigasse conforme a las leyes, por la
« muerte que dio a su padre. Hizóse el casamiento, que a
« todos estaua á cuento, con el qual por el gran dote de su
« esposa, que se allegó al estado que el tenia de su padre,
« se aumentó en poder y riquezas[3]. »

Voilà ce qu'a prêté l'histoire à D. Guillen de Castro, qui
a mis ce fameux événement sur le théâtre avant moi.
Ceux qui entendent l'espagnol y remarqueront deux circonstances : l'une, que Chimène ne pouvant s'empêcher
de reconnaître et d'aimer les belles qualités qu'elle voyait
en D. Rodrigue, quoiqu'il eût tué son père (*estaua prendada de sus partes*), alla proposer elle-même au roi cette
généreuse alternative, ou qu'il le lui donnât pour mari,
ou qu'il le fît punir suivant les lois ; l'autre, que ce
mariage se fît au gré de tout le monde (*a todos estaua a
cuento*). Deux chroniques du *Cid* ajoutent qu'il fut célé-
bré par l'archevêque de Séville, en présence du roi et de
toute sa cour ; mais je me suis contenté du texte de l'his-
torien, parce que toutes les deux ont quelque chose qui
sent le roman, et peuvent ne persuader pas davantage
que celles que nos Français ont faites de Charlemagne et
de Roland. Ce que j'ai rapporté de Mariana suffit pour

faire voir l'état qu'on fit de Chimène et de son mariage
dans son siècle même, où elle vécut en un tel éclat, que
les rois d'Aragon et de Navarre tinrent à honneur d'être
ses gendres, en épousant ses deux filles. Quelques-uns ne
l'ont pas si bien traitée dans le nôtre, et sans parler de ce
qu'on a dit de la Chimène du théâtre, celui qui a composé
l'histoire d'Espagne en français l'a notée, dans son livre,
de s'être tôt et aisément consolée de la mort de son père,
et a voulu taxer de légèreté une action qui fut imputée à
grandeur de courage par ceux qui en furent les témoins.
Deux romances espagnoles, que je vous donnerai en suite
de cet *Avertissement*, parlent encore plus en sa faveur.
Ces sortes de petits poèmes sont comme des originaux
décousus de leurs anciennes histoires ; et je serais ingrat
envers la mémoire de cette héroïne, si, après l'avoir fait
connaître en France, et m'y être fait connaître par elle, je
ne tâchais de la tirer de la honte qu'on lui a voulu faire[4],
parce qu'elle a passé par mes mains. Je vous donne donc
ces pièces justificatives de la réputation où elle a vécu,
sans dessein de justifier la façon dont je l'ai fait parler
français. Le temps l'a fait pour moi, et les traductions
qu'on en a faites en toutes les langues qui servent
aujourd'hui à la scène, et chez tous les peuples où l'on
voit des théâtres, je veux dire en italien, flamand et
anglais, sont d'assez glorieuses apologies contre tout ce
qu'on en a dit. Je n'y ajouterai pour toute chose qu'envi-
ron une douzaine de vers espagnols qui semblent faits
exprès pour la défendre. Ils sont du même auteur qui l'a
traitée avant moi, D. Guillen de Castro, qui, dans une
autre comédie qu'il intitule *Engañarse engañando*, fait
dire à une princesse de Béarn :

> *A mirar*
> *Bien el mundo, que el tener*
> *Apetitos que vencer,*
> *Y ocasiones que dexar.*
> *Examinan el valor*
> *En la muger, yo dixera*
> *Lo que siento, porque fuera*
> *Luzimiento de mi honor.*
> *Pero malicias fundadas*

En honras mal entendidas
De tentaciones vencidas
Hazen culpas declaradas :
Yassi, la que el dessear
Con el resistir appunta,
Vence dos vezes, si junta
Con el resistir el callar[5].

C'est, si je ne me trompe, comme agit Chimène dans mon ouvrage en présence du roi et de l'infante. Je dis en présence du roi et de l'infante, parce que quand elle est seule, ou avec sa confidente, ou avec son amant, c'est une autre chose. Ses mœurs sont inégalement égales, pour parler en termes de notre Aristote, et changent suivant les circonstances des lieux, des personnes, des temps et des occasions, en conservant toujours le même principe.

Au reste, je me sens obligé de désabuser le public de deux erreurs qui s'y sont glissées touchant cette tragédie, et qui semblent avoir été autorisées par mon silence. La première est que j'aie convenu de juges[6] touchant son mérite, et m'en sois rapporté au sentiment de ceux qu'on a priés d'en juger. Je m'en tairais encore, si ce faux bruit n'avait été jusque chez M. de Balzac dans sa province, ou, pour me servir de ses paroles mêmes, dans son désert, et s je n'en avais vu depuis peu les marques dans cette admirable lettre qu'il a écrite sur ce sujet, et qui ne fait pas la moindre richesse des deux derniers trésors qu'il nous a donnés. Or, comme tout ce qui part de sa plume regarde toute la postérité, maintenant que mon nom est assuré de passer jusqu'à elle dans cette lettre incomparable, il me serait honteux qu'il y passât avec cette tache, et qu'on pût à jamais me reprocher d'avoir compromis de ma réputation. C'est une chose qui jusqu'à présent est sans exemple ; et de tous ceux qui ont été attaqués comme moi, aucun que je sache n'a eu assez de faiblesse pour convenir d'arbitres avec ses censeurs ; et s'ils ont laissé tout le monde dans la liberté publique d'en juger, ainsi que j'ai fait, ç'a été sans s'obliger, non plus que moi, à en croire personne. Outre que, dans la conjoncture où étaient alors les affaires du *Cid*, il ne fallait pas être grand devin pour prévoir ce que nous en avons vu arriver. A moins que d'être tout à fait stupide, on ne pouvait pas ignorer que, comme les questions de cette nature ne concernent ni la religion, ni l'État[7], on en peut décider par les règles de la prudence humaine, aussi bien que par celles du théâtre, et tourner sans scrupule le sens du bon Aristote du côté de la politique. Ce n'est pas que je sache si ceux qui ont jugé du *Cid* en ont jugé suivant leur sentiment ou non, ni même que je veuille dire qu'ils en aient bien ou mal jugé, mais seulement que ce n'a jamais été de mon consentement qu'ils en ont jugé, et que peut-être je l'aurais justifié sans beaucoup de peine, si la même raison qui les a fait parler ne m'avait obligé à me taire. Aristote ne s'est pas expliqué si clairement dans sa *Poétique*, que nous n'en puissions faire ainsi que les philosophes, qui le tirent chacun à leur parti dans leurs opinions contraires ; et comme c'est un pays inconnu pour beaucoup de monde, les plus zélés partisans du *Cid* en ont cru ses censeurs sur leur parole, et se sont imaginé avoir pleinement satisfaits à toutes leurs objections, quand ils ont soutenu qu'il importait peu qu'il fût selon les règles d'Aristote et qu'Aristote en avait fait pour son siècle et pour des Grecs, et non pas pour le nôtre et pour des Français.

Cette seconde erreur, que mon silence a affermie, n'est pas moins injurieuse à Aristote qu'à moi. Ce grand homme a traité la poétique avec tant d'adresse et de jugement, que les préceptes qu'il nous en a laissés sont de tous les temps et de tous les peuples ; et bien loin de s'amuser au détail des bienséances et des agréments, qui peuvent être divers, selon que ces deux circonstances sont diverses, il a été droit aux mouvements de l'âme dont la nature ne change point. Il a montré quelles passions la tragédie doit exciter dans celles de ses auditeurs ; il a cherché quelles conditions sont nécessaires, et aux personnes qu'on introduit, et aux événements qu'on représente, pour les y faire naître ; il en a laissé des moyens qui auraient produit leur effet partout dès la création du monde, et qui seront capables de le produire encore partout, tant qu'il y aura des théâtres et des acteurs ; et pour le reste, que les lieux et les temps peuvent changer, il l'a négligé et n'a pas même prescrit le nombre des actes, qui n'a été réglé que par Horace beaucoup après lui.

Et certes, je serais le premier qui condamnerais *Le Cid*, s'il péchait contre ces grandes et souveraines maximes que nous tenons de ce philosophe; mais bien loin d'en demeurer d'accord, j'ose dire que cet heureux poème n'a si extraordinairement réussi que parce qu'on y voit les deux maîtresses conditions (permettez-moi cette épithète) que demande ce grand maître aux excellentes tragédies, et qui se trouvent si rarement assemblées dans un même ouvrage, qu'un des plus doctes commentateurs de ce divin traité qu'il en a fait, soutient que toute l'antiquité ne les a vues se rencontrer que dans le seul *Œdipe*. La première est que celui qui souffre et est persécuté ne soit ni tout méchant, ni tout vertueux, mais un homme plus vertueux que méchant, qui, par quelque trait de faiblesse humaine qui ne soit pas un crime, tombe dans un malheur qu'il ne mérite pas; l'autre, que la persécution et le péril ne viennent point d'un ennemi, ni d'un indifférent, mais d'une personne qui doive aimer celui qui souffre et en être aimée. Et voilà, pour en parler sainement, la véritable et seule cause de tout le succès du *Cid*, en qui l'on ne peut méconnaître ces deux conditions, sans s'aveugler soi-même, pour lui faire injustice. J'achève donc en m'acquittant de ma parole; et après vous avoir dit en passant ces deux mots pour le Cid du théâtre, je vous donne, en faveur de la Chimène de l'histoire, les deux romances que je vous ai promises.

J'oubliais à vous dire que quantité de mes amis ayant jugé à propos que je rendisse compte au public de ce que j'avais emprunté de l'auteur espagnol dans cet ouvrage, et m'ayant témoigné le souhaiter, j'ai bien voulu leur donner cette satisfaction. Vous trouverez donc tout ce que j'en ai traduit imprimé d'une autre lettre, avec un chiffre au commencement, qui servira de marque de renvoi pour trouver les vers espagnols au bas de la même page. Je garderai ce même ordre dans *La Mort de Pompée*, pour les vers de Lucain, ce qui n'empêchera pas que je ne continue aussi ce même changement de lettre toutes les fois que mes acteurs rapportent quelque chose qui s'est dit ailleurs que sur le théâtre, où vous n'imputerez rien qu'à moi si vous n'y voyez ce chiffre pour marque, et le texte d'un autre auteur au-dessous.

ROMANCE PRIMERO

Delante el rey de León
Doña Ximena una tarde
Se pone á pedir justicia
Por la muerte de su padre.

Para contra el Cid la pide,
Don Rodrigo de Bivare,
Que buerfana la dexó,
Niña, y de muy poca edade.

Si tengo razon, ó non,
Bien, rey, lo alcanzas y sabes,
Que los negocios de honra
No pueden dissimularse.

Cada día que amanece
Veo al lobo de mi sangre
Caballero en un caballo
Por darme mayor pesare.

Mandale, buen rey, pues puedes
Que no me ronde mi calle,
Que no se venga en mugeres
El hombre que mucho vale.

Si mi padre afrentó al suyo,
Bien ha vengado á su padre,
Que si honras pagaron muertes,
Para su disculpa bastan.

Encommendada me tienes,
No consientas que me agravien,
Que el que á mi se fiziere,
A tu corona se faze.

Calledes, doña Ximena,
Que me dades pena grande,
Que yo dare buen remedio,
Para todos vuestros males.

Al Cid no le he de ofender,
Que es hombre que mucho vale,
Y me defiende mis reynos,
Y quiero que me los guarde.

Pero yo faré un partido
Con el, que no os este male,
De tomalle la palabra
Para que con vos se case.

Contenta quedó Ximena,
Con la merced que le faze,
Que quien huerfana la fizó
Aquesse mesmo la ampare.

ROMANCE SEGUNDO

A Ximena y á Rodrigo
Prendió el rey palabra, y mano,
De juntarlos para en uno
En presencia de Layn Calvo.

Las enemistades viejas
Con amor se conformaron,
Que donde preside el amor
Se olvidan muchos agravios.
. . . .
Llegaron juntos los novios,
Y al dar la mano, y abraco,

El Cid mirando á la novia,
Le dixó toto turbado.

Maté á tu padre, Ximena,
Pero no á desaguisado,
Matéle de hombre à hombre,
Para vengar cierto agravio.

Maté hombre, y hombre doy,
Aqui estoy á tu mandado.
Y en lugar del muerto padre
Cobraste un marido honrado.

A todos pareció bien,
Su discrecion ala baron,
Y assi se hizieron las bodas
De Rodrigo el Castellano[8].

EXAMEN (1660)

Ce poème a tant d'avantages du côté du sujet et des pensées brillantes dont il est semé, que la plupart de ses auditeurs n'ont pas voulu voir les défauts de sa conduite, et ont laissé enlever leurs suffrages au plaisir que leur a donné sa représentation. Bien que ce soit celui de tous mes ouvrages réguliers où je me suis permis le plus de licence, il passe encore pour le plus beau auprès de ceux qui ne s'attachent pas à la dernière sévérité des règles, et depuis vingt-trois ans qu'il tient sa place sur nos théâtres, l'histoire ni l'effort de l'imagination n'y ont rien fait voir qui en ait effacé l'éclat. Aussi a-t-il les deux grandes conditions que demande Aristote aux tragédies parfaites, et dont l'assemblage se rencontre si rarement chez les anciens ni chez les modernes; il les assemble même plus fortement et plus noblement que les espèces que pose ce philosophe. Une maîtresse que son devoir force à poursuivre la mort de son amant, qu'elle tremble d'obtenir, a les passions plus vives et plus allumées que tout ce qui peut se passer entre un mari et sa femme, une mère et son fils, un frère et sa sœur, et la haute vertu dans un naturel sensible à ses passions, qu'elle dompte sans les affaiblir, et à qui elle laisse toute leur force pour en triompher plus glorieusement, a quelque chose de plus touchant, de plus élevé et de plus aimable que cette médiocre bonté, capable d'une faiblesse et même d'un crime, où nos anciens étaient contraints d'arrêter le caractère le plus parfait des rois et des princes dont ils faisaient leurs héros, afin que ces taches et ces forfaits, défigurant ce qu'ils leur laissaient de vertu, s'accommodassent au goût et aux souhaits de leurs spectateurs, et fortifiassent l'horreur qu'ils avaient conçue de leur domination et de la monarchie.

Rodrigue suit ici son devoir sans rien relâcher de sa passion : Chimène fait la même chose à son tour, sans laisser ébranler son dessein par la douleur où elle se voit abîmée par là ; et si la présence de son amant lui fait faire quelque faux pas, c'est une glissade dont elle se relève à l'heure même ; et non seulement elle connaît si bien sa faute qu'elle nous en avertit, mais elle fait un prompt désaveu de tout ce qu'une vue si chère lui a pu arracher. Il n'est point besoin qu'on lui reproche qu'il lui est honteux de souffrir l'entretien de son amant après qu'il a tué son père ; elle avoue que c'est la seule prise que la médisance aura sur elle. Si elle s'emporte jusqu'à lui dire qu'elle veut bien qu'on sache qu'elle l'adore et le poursuit, ce n'est point une résolution si ferme, qu'elle l'empêche de cacher son amour de tout son possible lorsqu'elle est en la présence du roi. S'il lui échappe de l'encourager au combat contre don Sanche par ces paroles :

> *Sors vainqueur d'un combat*
> *dont Chimène est le prix,*

elle ne se contente pas de s'enfuir de honte au même moment ; mais sitôt qu'elle est avec Elvire, à qui elle ne déguise rien de ce qui se passe dans son âme, et que la vue de ce cher objet ne lui fait plus de violence, elle forme un souhait plus raisonnable, qui satisfait sa vertu et son amour tout ensemble, et demande au ciel que le combat se termine :

> *Sans faire aucun des deux ni vaincu ni vainqueur.*

Si elle ne dissimule point qu'elle penche du côté de Rodrigue, de peur d'être à don Sanche, pour qui elle a de l'aversion, cela ne détruit point la protestation qu'elle a faite un peu auparavant que, malgré la loi de ce combat, et les promesses que le roi a faites à Rodrigue, elle lui fera mille autres ennemis, s'il en sort victorieux. Ce grand éclat même qu'elle laisse faire à son amour après qu'elle le croit mort, est suivi d'une opposition vigou-reuse à l'exécution de cette loi qui la donne à son amant, et elle ne se tait qu'après que le roi l'a différée, et lui a laissé lieu d'espérer qu'avec le temps il y pourra survenir quelque obstacle. Je sais bien que le silence passe d'ordi-naire pour une marque de consentement ; mais quand les rois parlent, c'en est une de contradiction : on ne manque jamais à leur applaudir quand on entre dans leurs senti-ments ; et le seul moyen de leur contredire avec le respect qui leur est dû, c'est de se taire, quand leurs ordres ne sont pas si pressants qu'on ne puisse remettre à s'excuser de leur obéir lorsque le temps en sera venu, et conserver cependant une espérance légitime d'un empêchement qu'on ne peut encore déterminément prévoir.

Il est vrai que, dans ce sujet, il faut se contenter de tirer Rodrigue de péril, sans le pousser jusqu'à son mariage avec Chimène. Il est historique et a plu en son temps ; mais bien sûrement il déplairait au nôtre ; et j'ai peine à voir que Chimène y consente chez l'auteur espagnol, bien qu'il donne plus de trois ans de durée à la comédie qu'il en a faite. Pour ne pas contredire l'histoire, j'ai cru ne me pouvoir dispenser d'en jeter quelque idée, mais avec incertitude de l'effet[9], et ce n'était que par là que je pou-vais accorder la bienséance du théâtre avec la vérité de l'événement.

Les deux visites que Rodrigue fait à sa maîtresse ont quelque chose qui choque cette bienséance de la part de celle qui les souffre ; la rigueur du devoir voulait qu'elle refusât de lui parler, et s'enfermât dans son cabinet au lieu de l'écouter ; mais permettez-moi de dire avec un des premiers esprits de notre siècle, « que leur conversation « est remplie de si beaux sentiments, que plusieurs n'ont « pas connu ce défaut, et que ceux qui l'ont connu l'ont « toléré ». J'irai plus outre, et dirai que tous presque ont souhaité que ces entretiens se fissent ; et j'ai remarqué aux premières représentations qu'alors que ce malheureux amant se présentait devant elle, il s'élevait un certain frémissement dans l'assemblée, qui marquait une curiosité merveilleuse, et un redoublement d'attention pour ce qu'ils avaient à se dire dans un état si pitoyable. Aristote dit « qu'il y a des absurdités qu'il faut laisser « dans un poème, quand on peut espérer qu'elles seront « bien reçues ; et il est du devoir du poète, en ce cas, de « les couvrir de tant de brillants, qu'elles puissent « éblouir ». Je laisse au jugement de mes auditeurs si je me suis assez bien acquitté de ce devoir pour justifier par là ces deux scènes. Les pensées de la première des deux sont quelquefois trop spirituelles pour partir de personnes fort affligées ; mais, outre que je n'ai fait que la paraphraser de l'espagnol, si nous ne nous permettions quelque chose de plus ingénieux que le cours ordinaire de la passion, nos poèmes ramperaient souvent, et les grandes douleurs ne mettraient dans la bouche de nos acteurs que des exclamations et des hélas. Pour ne déguiser rien, cette offre que fait Rodrigue de son épée à Chimène, et cette protestation de se laisser tuer par don Sanche, ne me plairaient pas maintenant. Ces beautés étaient de mise en ce temps-là, et ne le seraient plus en celui-ci. La première est dans l'original espagnol, et l'autre est tirée sur ce modèle. Toutes les deux ont fait leur effet en ma faveur ; mais je ferais scrupule d'en étaler de pareilles à l'avenir sur notre théâtre.

J'ai dit ailleurs[10] ma pensée touchant l'infante et le roi ; il reste néanmoins quelque chose à examiner sur la manière dont ce dernier agit, qui ne paraît pas assez vigoureuse, en ce qu'il ne fait pas arrêter le comte après le soufflet donné, et n'envoie pas des gardes[11] à don Diègue et à son fils. Sur quoi on peut considérer que don Fernand étant le premier roi de Castille, et ceux qui en avaient été maîtres auparavant lui n'ayant eu titre que de comtes, il n'était peut-être pas assez absolu sur les grands seigneurs de son royaume pour le pouvoir faire. Chez don Guillem de Castro, qui a traité ce sujet avant

moi, et qui devait mieux connaître que moi quelle était
l'autorité de ce premier monarque de son pays, le soufflet
se donne en sa présence et en celle de deux ministres
d'État, qui lui conseillent, après que le comte s'est retiré
fièrement et avec bravade, et que don Diègue a fait la
même chose en soupirant, de ne le pousser point à bout,
parce qu'il a quantité d'amis dans les Asturies, qui se
pourraient révolter, et prendre parti avec les Maures
dont son État est environné. Ainsi il se résout
d'accommoder l'affaire sans bruit, et recommande le
secret à ces deux ministres, qui ont été seuls témoins de
l'action. C'est sur cet exemple que je me suis cru bien
fondé à le faire agir plus mollement qu'on ne ferait en ce
temps-ci, où l'autorité royale est plus absolue. Je ne
pense pas non plus qu'il fasse une faute bien grande de
ne jeter point l'alarme de nuit dans sa ville, sur l'avis
incertain qu'il a du dessein des Maures, puisqu'on faisait
bonne garde sur les murs et sur le port ; mais il est inex-
cusable de n'y donner aucun ordre après leur arrivée, et
de laisser tout faire à Rodrigue. La loi du combat qu'il
propose à Chimène avant que de le permettre à don
Sanche contre Rodrigue, n'est pas si injuste que quelques-uns ont voulu le dire, parce qu'elle est plutôt une
menace pour la faire dédire de la demande de ce combat,
qu'un arrêt qu'il lui veuille faire exécuter. Cela paraît en
ce qu'après la victoire de Rodrigue il n'en exige pas préci-
sément l'effet de sa parole, et la laisse en état d'espérer
que cette condition n'aura point de lieu.

Je ne puis dénier que la règle des vingt et quatre heures
presse trop les incidents de cette pièce. La mort du comte
et l'arrivée des Maures s'y pouvaient entre-suivre d'aussi
près qu'elles font, parce que cette arrivée est une surprise
qui n'a point de communication, ni de mesures à prendre
avec le reste ; mais il n'en va pas ainsi du combat de don
Sanche, dont le roi était le maître, et pouvait lui choisir
un autre temps que deux heures après la fuite des
Maures. Leur défaite avait assez fatigué Rodrigue toute
la nuit pour mériter deux ou trois jours de repos, et
même il y avait quelque apparence qu'il n'en était pas
échappé sans blessures, quoique je n'en aie rien dit,

parce qu'elles n'auraient fait que nuire à la conclusion de l'action.

Cette même règle presse aussi trop Chimène de demander justice au roi la seconde fois. Elle l'avait fait le soir d'auparavant, et n'avait aucun sujet d'y retourner le lendemain matin pour en importuner le roi, dont elle n'avait encore aucun lieu de se plaindre, puisqu'elle ne pouvait encore dire qu'il lui eût manqué de promesse. Le roman lui aurait donné sept ou huit jours de patience avant que de l'en presser de nouveau ; mais les vingt et quatre heures ne l'ont pas permis : c'est l'incommodité de la règle. Passons à celle de l'unité de lieu, qui ne m'a pas donné moins de gêne en cette pièce.

Je l'ai placé dans Séville, bien que don Fernand n'en ait jamais été le maître, et j'ai été obligé à cette falsification, pour former quelque vraisemblance à la descente des Maures, dont l'armée ne pouvait venir si vite par terre que par eau. Je ne voudrais pas assurer toutefois que le flux de la mer monte effectivement jusque-là ; mais comme dans notre Seine il fait encore plus de chemin qu'il ne lui en faut faire sur le Guadalquivir pour battre les murailles de cette ville, cela peut suffire à fonder quelque probabilité parmi nous, pour ceux qui n'ont point été sur le lieu même.

Cette arrivée des Maures ne laisse pas d'avoir ce défaut, que j'ai marqué ailleurs[12], qu'ils se présentent d'eux-mêmes, sans être appelés dans la pièce directement ni indirectement par aucun acteur du premier acte. Ils ont plus de justesse dans l'irrégularité de l'auteur espagnol. Rodrigue, n'osant plus se montrer à la cour, les va combattre sur la frontière, et ainsi le premier acteur les va chercher, et leur donne place dans le poème ; au contraire de ce qui arrive ici, où ils semblent se venir faire de fête exprès pour en être battus, et lui donner moyen de rendre à son roi un service d'importance qui lui fasse obtenir sa grâce. C'est une seconde incommodité de la règle dans cette tragédie.

Tout s'y passe donc dans Séville, et garde ainsi quelque espèce d'unité de lieu en général ; mais le lieu particulier change de scène en scène, et tantôt c'est le palais du roi, tantôt l'appartement de l'infante, tantôt la maison de Chimène, et tantôt une rue ou place publique. On le détermine aisément pour les scènes détachées ; mais pour celles qui ont leur liaison ensemble, comme les quatre dernières du premier acte, il est malaisé d'en choisir un qui convienne à toutes. Le comte et don Diègue se querellent au sortir du palais ; cela se peut passer dans une rue ; mais, après le soufflet reçu, don Diègue ne peut pas demeurer en cette rue à faire ses plaintes, attendant que son fils survienne, qu'il ne soit tout aussitôt environné de peuple, et ne reçoive l'offre de quelques amis. Ainsi il serait plus à propos qu'il se plaignît dans sa maison, où le met l'Espagnol, pour laisser aller ses sentiments en liberté ; mais, en ce cas, il faudrait délier les scènes comme il a fait. En l'état où elles sont ici, on peut dire qu'il faut quelquefois aider au théâtre, et suppléer favorablement ce qui ne s'y peut représenter. Deux personnes s'y arrêtent pour parler, et quelquefois il faut présumer qu'ils marchent, ce qu'on ne peut exposer sensiblement à la vue, parce qu'ils échapperaient aux yeux avant que d'avoir pu dire ce qu'il est nécessaire qu'ils fassent savoir à l'auditeur. Ainsi, par une fiction de théâtre, on peut s'imaginer que don Diègue et le comte, sortant du palais du roi, avancent toujours en se querellant, et sont arrivés devant la maison de ce premier lorsqu'il reçoit le soufflet qui l'oblige à y entrer pour y chercher du secours. Si cette fiction poétique ne vous satisfait point, laissons-le dans la place publique, et disons que le concours du peuple autour de lui après cette offense, et les offres de service que lui font les premiers amis qui s'y rencontrent, sont des circonstances que le roman ne doit pas oublier ; mais que ces menues actions ne servant de rien à la principale, il n'est pas besoin que le poète s'en embarrasse sur la scène. Horace l'en dispense par ces vers :

Hoc amet, hoc spernat promissi carminis auctor ;
Pleraque negligat.

Et ailleurs,

Semper ad eventum festinet[13].

C'est ce qui m'a fait négliger, au troisième acte, de donner à don Diègue, pour aide à chercher son fils, aucun des cinq cents amis qu'il avait chez lui. Il y a grande apparence que quelques-uns d'eux l'y accompagnaient, et même que quelques autres le cherchaient pour lui d'un autre côté; mais ces accompagnements inutiles de personnes qui n'ont rien à dire, puisque celui qu'ils accompagnent a seul tout l'intérêt à l'action, ces sortes d'accompagnements, dis-je, ont toujours mauvaise grâce au théâtre, et d'autant plus que les comédiens n'emploient à ces personnages muets que leurs moucheurs de chandelles et leurs valets, qui ne savent quelle posture tenir.

Les funérailles du Comte étaient encore une chose fort embarrassante, soit qu'elles se soient faites avant la fin de la pièce, soit que le corps ait demeuré en présence dans son hôtel, attendant qu'on y donnât ordre. Le moindre mot que j'en eusse laissé dire, pour en prendre soin, eût rompu toute la chaleur de l'attention, et rempli l'auditeur d'une fâcheuse idée. J'ai cru plus à propos de les dérober à son imagination par mon silence, aussi bien que le lieu précis de ces quatre scènes du premier acte dont je viens de parler; et je m'assure que cet artifice m'a si bien réussi, que peu de personnes ont pris garde à l'un ni à l'autre, et que la plupart des spectateurs, laissant emporter leurs esprits à ce qu'ils ont vu et entendu de pathétique en ce poème, ne se sont point avisés de réfléchir sur ces deux considérations.

J'achève par une remarque sur ce que dit Horace, que ce qu'on expose à la vue touche bien plus que ce qu'on n'apprend que par un récit.

C'est sur quoi je me suis fondé pour faire voir le soufflet que reçoit don Diègue, et cacher aux yeux la mort du comte, afin d'acquérir et conserver à mon premier acteur l'amitié des auditeurs, si nécessaire pour réussir au théâtre. L'indignité d'un affront fait à un vieillard, chargé d'années et de victoires, les jette aisément dans le parti de l'offensé; et cette mort, qu'on vient dire au roi tout simplement sans aucune narration touchante, n'excite

point en eux la commisération qu'y eût fait naître le spectacle de son sang, et ne leur donne aucune aversion pour
ce malheureux amant, qu'ils ont vu forcé par ce qu'il
devait à son honneur d'en venir à cette extrémité, malgré
l'intérêt et la tendresse de son amour.

ACTEURS

D. FERNAND[14], premier roi de Castille.

Dᵃ URRAQUE, infante de Castille.

D. DIÈGUE, père de don Rodrigue.

D. GOMÈS, comte de Gormas, père de Chimène.

D. RODRIGUE, amant de Chimène.

D. SANCHE, amoureux de Chimène.

D. ARIAS,

D. ALONSE,   gentilshommes castillans.

CHIMÈNE, fille de don Gomès.

LÉONOR, gouvernante de l'infante.

ELVIRE, gouvernante de Chimène.

UN PAGE de l'infante.

La scène est à Séville.

ACTE PREMIER[15]

SCÈNE PREMIÈRE[16]

CHIMÈNE, ELVIRE

Chimène

Elvire, m'as-tu fait un rapport bien sincère ?
Ne déguises-tu rien de ce qu'a dit mon père ?

Elvire

Tous mes sens à moi-même en sont encor charmés :
Il estime Rodrigue autant que vous l'aimez,
5 Et si je ne m'abuse à lire dans son âme,
Il vous commandera de répondre à sa flamme.

Chimène

Dis-moi donc, je te prie, une seconde fois
Ce qui te fait juger qu'il approuve mon choix ;
Apprends-moi de nouveau quel espoir j'en dois prendre ;
10 Un si charmant discours ne se peut trop entendre ;
Tu ne peux trop promettre aux feux de notre amour
La douce liberté de se montrer au jour.
Que t'a-t-il répondu sur la secrète brigue
Que font auprès de toi don Sanche et don Rodrigue ?

15 N'as-tu point trop fait voir quelle inégalité
Entre ces deux amants me penche d'un côté?

ELVIRE

Non, j'ai peint votre cœur dans une indifférence
Qui n'enfle d'aucun d'eux ni détruit l'espérance,
Et sans les voir d'un œil trop sévère ou trop doux,
20 Attend l'ordre d'un père à choisir un époux.
Texte de 1637

SCÈNE PREMIÈRE : LE COMTE, ELVIRE

ELVIRE

Entre tous ces amants dont la jeune ferveur
Adore votre fille et brigue ma faveur,
Don Rodrigue et don Sanché à l'envi font paraître
Le beau feu qu'en leurs cœurs ses beautés ont fait naître.
Ce n'est pas que Chimène écoute leurs soupirs,
Ou d'un regard propice anime leurs désirs :
Au contraire pour tous dedans l'indifférence,
Elle n'ôte à pas un ni donne l'espérance.
Et sans les voir d'un œil trop sévère ou trop doux,
C'est de votre seul choix qu'elle attend un époux.

LE COMTE

Elle est dans le devoir; tous deux sont dignes d'elle,
    (Vers 26 à 38 de l'édition définitive, puis)
Va l'en entretenir; mais dans cet entretien
Cache mon entretien et découvre le sien.
Je veux qu'à mon retour nous en parlions ensemble;
L'heure à présent m'appelle au conseil qui s'assemble;
Le roi doit à son fils choisir un gouverneur,
Ou plutôt m'élever à ce haut rang d'honneur;
Ce que pour lui mon bras chaque jour exécute,
Me défend de penser qu'aucun me le dispute.

SCÈNE II : Chimène, Elvire

Elvire, *seule.*

Quelle douce nouvelle à ces jeunes amants
Et que tout se dispose à leurs contentements !

Chimène

Eh bien ! Elvire, enfin que faut-il que j'espère ?
Que dois-je devenir, et que t'a dit mon père ?

Elvire

Deux mots dont tous vos sens doivent être charmés :
Il estime Rodrigue autant que vous l'aimez.

Chimène

L'excès de ce bonheur me met en défiance :
Puis-je à de tels discours donner quelque croyance ?

Elvire

Il passe bien plus outre, il approuve ses feux.
Et vous doit commander de répondre à ses vœux.
Jugez après cela, puisque tantôt son père
Au sortir du conseil doit proposer l'affaire,
S'il pouvait avoir lieu de mieux prendre son temps,
Et si tous vos désirs seront bientôt contents.
      (Vers 53-58 de l'édition définitive)

Ce respect l'a ravi, sa bouche et son visage
M'en ont donné sur l'heure un digne témoignage,
Et puisqu'il vous en faut encor faire un récit,
Voici d'eux et de vous ce qu'en hâte il m'a dit :
25 « Elle est dans le devoir, tous deux sont dignes d'elle,
Tous deux formés d'un sang noble, vaillant, fidèle,
Jeunes, mais qui font lire aisément dans leurs yeux

L'éclatante vertu de leurs braves aïeux.
Don Rodrigue surtout n'a trait en son visage
30 Qui d'un homme de cœur ne soit la haute image,
Et sort d'une maison si féconde en guerriers,
Qu'ils y prennent naissance au milieu des lauriers.
La valeur de son père en son temps sans pareille,
Tant qu'a duré sa force, a passé pour merveille;
35 Ses rides sur son front ont gravé ses exploits,
Et nous disent encor ce qu'il fut autrefois.
Je me promets du fils ce que j'ai vu du père;
Et ma fille, en un mot, peut l'aimer et me plaire. »
Il allait au conseil, dont l'heure qui pressait
40 A tranché ce discours qu'à peine il commençait;
Mais à ce peu de mots je crois que sa pensée
Entre vos deux amants n'est pas fort balancée.
Le roi doit à son fils élire un gouverneur,
Et c'est lui que regarde un tel degré d'honneur;
45 Ce choix n'est pas douteux, et sa rare vaillance
Ne peut souffrir qu'on craigne aucune concurrence.
Comme ses hauts exploits le rendent sans égal,
Dans un espoir si juste il sera sans rival;
Et puisque don Rodrigue a résolu son père
50 Au sortir du conseil à proposer l'affaire,
Je vous laisse à juger s'il prendra bien son temps,
Et si tous vos désirs seront bientôt contents.

CHIMÈNE

Il semble toutefois que mon âme troublée
Refuse cette joie, et s'en trouve accablée :
55 Un moment donne au sort des visages divers,
Et dans ce grand bonheur je crains un grand revers.

ELVIRE

Vous verrez cette crainte heureusement déçue.

CHIMÈNE

Allons, quoi qu'il en soit, en attendre l'issue.

SCÈNE II

L'INFANTE, LÉONOR, UN PAGE

L'INFANTE

Page, allez avertir Chimène de ma part[17]
60 Qu'aujourd'hui pour me voir elle attend un peu tard,
Et que mon amitié se plaint de sa paresse.

Le page rentre.

LÉONOR

Madame, chaque jour même désir vous presse ;
Et dans son entretien je vous vois chaque jour
Demander en quel point se trouve son amour.

L'INFANTE

65 Ce n'est pas sans sujet : je l'ai presque forcée
A recevoir les traits dont son âme est blessée.
Elle aime don Rodrigue, et le tient de ma main,
Et par moi don Rodrigue a vaincu son dédain ;
Ainsi de ces amants ayant formé les chaînes,
70 Je dois prendre intérêt à voir finir leurs peines.

LÉONOR

Madame, toutefois parmi leurs bons succès
Vous montrez un chagrin qui va jusqu'à l'excès.
Cet amour, qui tous deux les comble d'allégresse,
Fait-il de ce grand cœur la profonde tristesse,
75 Et ce grand intérêt que vous prenez pour eux
Vous rend-il malheureuse alors qu'ils sont heureux ?
Mais je vais trop avant, et deviens indiscrète.

L'INFANTE

Ma tristesse redouble à la tenir secrète.
Écoute, écoute enfin comme j'ai combattu,

80 Écoute quels assauts brave encor ma vertu.
L'amour est un tyran qui n'épargne personne :
Ce jeune cavalier[18], cet amant que je donne,
Je l'aime.

LÉONOR

        Vous l'aimez !

L'INFANTE

            Mets la main sur mon cœur,
Et vois comme il se trouble au nom de son vainqueur,
85 Comme il le reconnaît.

LÉONOR

            Pardonnez-moi, madame,
Si je sors du respect pour blâmer cette flamme,
Une grande princesse à ce point s'oublier
Que d'admettre en son cœur un simple cavalier !
Et que dirait le roi, que dirait la Castille ?
90 Vous souvient-il encor de qui vous êtes fille ?

L'INFANTE

Il m'en souvient si bien que j'épandrai mon sang,
Avant que je m'abaisse à démentir mon rang.
Je te répondrais bien que dans les belles âmes
Le seul mérite a droit de produire des flammes ;
95 Et si ma passion cherchait à s'excuser,
Mille exemples fameux purraient l'autoriser :
Mais je n'en veux point suivre où ma gloire s'engage ;
La surprise des sens n'abat point mon courage ;
Et je me dis toujours qu'étant fille de roi
100 Tout autre qu'un monarque est indigne de moi.
Quand je vis que mon cœur ne se pouvait défendre,
Moi-même je donnai ce que je n'osais prendre.
Je mis, au lieu de moi, Chimène en ses liens,
Et j'allumai leurs feux pour éteindre les miens.
105 Ne t'étonne donc plus si mon âme gênée
Avec impatience attend leur hyménée ;

Tu vois que mon repos en dépend aujourd'hui.
Si l'amour vit d'espoir, il périt avec lui ;
C'est un feu qui s'éteint, faute de nourriture ;
110 Et malgré la rigueur de ma triste aventure,
Si Chimène a jamais Rodrigue pour mari
Mon espérance est morte, et mon esprit guéri.
    Je souffre cependant un tourment incroyable.
Jusques à cet hymen Rodrigue m'est aimable :
115 Je travaille à le perdre, et le perds à regret ;
Et de là prend son cours mon déplaisir secret.
Je vois avec chagrin que l'amour me contraigne
A pousser des soupirs pour ce que je dédaigne ;
Je sens en deux partis mon esprit divisé.
120 Si mon courage est haut, mon cœur est embrasé.
Cet hymen m'est fatal, je le crains, et souhaite :
Je n'ose en espérer qu'une joie imparfaite.
Ma gloire et mon amour ont pour moi tant d'appas,
Que je meurs s'il s'achève ou ne s'achève pas.

LÉONOR

125 Madame, après cela je n'ai rien à vous dire,
Sinon que de vos maux avec vous je soupire ;
Je vous blâmais tantôt, je vous plains à présent.
Mais puisque dans un mal si doux et si cuisant
Votre vertu combat et son charme et sa force,
130 En repousse l'assaut, en rejette l'amorce,
Elle rendra le calme à vos esprits flottants.
Espérez donc tout d'elle, et du secours du temps,
Espérez tout du ciel, il a trop de justice
Pour laisser la vertu dans un si long supplice[19].

L'INFANTE

135 Ma plus douce espérance est de perdre l'espoir.

LE PAGE

Par vos commandements Chimène vous vient voir.

L'INFANTE, à *Léonor*.

Allez l'entretenir en cette galerie.

Léonor

Voulez-vous demeurer dedans la rêverie?

L'Infante

Non, je veux seulement, malgré mon déplaisir,
140 Remettre mon visage un peu plus à loisir.
Je vous suis. Juste ciel, d'où j'attends mon remède,
Mets enfin quelque borne au mal qui me possède,
Assure mon repos, assure mon honneur.
Dans le bonheur d'autrui je cherche mon bonheur,
145 Cet hyménée à trois également importe;
Rends son effet plus prompt, ou mon âme plus forte.
D'un lien conjugal joindre ces deux amants,
C'est briser tous mes fers et finir mes tourments.
Mais je tarde un peu trop, allons trouver Chimène,
150 Et par son entretien soulager notre peine.

SCÈNE III

LE COMTE, D. DIÈGUE

Le Comte

Enfin vous l'emportez, et la faveur du roi
Vous élève en un rang[20] qui n'était dû qu'à moi,
Il vous fait gouverneur du prince de Castille.

D. Diègue

Cette marque d'honneur qu'il met dans ma famille
155 Montre à tous qu'il est juste, et fait connaître assez
Qu'il sait récompenser les services passés.

Le Comte

Pour grands que soient les rois, ils sont ce que nous
                                              [sommes:
Ils peuvent se tromper comme les autres hommes;

Et ce choix sert de preuve à tous les courtisans
160 Qu'ils savent mal payer les services présents.

D. Diègue

Ne parlons plus d'un choix dont votre esprit s'irrite ;
La faveur l'a pu faire autant que le mérite,
Mais on doit ce respect au pouvoir absolu,
De n'examiner rien quand un roi l'a voulu.
165 A l'honneur qu'il m'a fait ajoutez-en un autre ;
Joignons d'un sacré nœud ma maison à la vôtre :
Vous n'avez qu'une fille, et moi je n'ai qu'un fils ;
Leur hymen nous peut rendre à jamais plus qu'amis :
Faites-nous cette grâce, et l'acceptez pour gendre.

Le Comte

170 A des partis plus hauts ce beau fils doit prétendre ;
Et le nouvel éclat de votre dignité
Lui doit enfler le cœur d'une autre vanité.
    Exercez-la, monsieur, et gouvernez le prince ;
Montrez-lui comme il faut régir une province,
175 Faire trembler partout les peuples sous la loi,
Remplir les bons d'amour et les méchants d'effroi ;
Joignez à ces vertus celle d'un capitaine :
Montrez-lui comme il faut s'endurcir à la peine,
Dans le métier de Mars se rendre sans égal,
180 Passer les jours entiers et les nuits à cheval,
Reposer tout armé, forcer une muraille,
Et ne devoir qu'à soi le gain d'une bataille.
Instruisez-le d'exemple, et rendez-le parfait,
Expliquant à ses yeux vos leçons par l'effet.

D. Diègue

185 Pour s'instruire d'exemple, en dépit de l'envie,
Il lira seulement l'histoire de ma vie.
    Là, dans un long tissu de belles actions,
Il verra comme il faut dompter des nations,
Attaquer une place, ordonner une armée,
190 Et sur de grands exploits bâtir sa renommée.

LE COMTE

Les exemples vivants sont d'un autre pouvoir ;
Un prince dans un livre apprend mal son devoir.
Et qu'a fait après tout ce grand nombre d'années,
Que ne puisse égaler une de mes journées[21] ?
195 Si vous fûtes vaillant, je le suis aujourd'hui,
Et ce bras du royaume est plus ferme appui.
Grenade et l'Aragon tremblent quand ce fer brille ;
Mon nom sert de rempart à toute la Castille :
Sans moi, vous passeriez bientôt sous d'autres lois,
200 Et vous auriez bientôt vos ennemis pour rois.
Chaque jour, chaque instant, pour rehausser ma gloire,
Met lauriers sur lauriers, victoire sur victoire :
Le prince à mes côtés ferait dans les combats
L'essai de son courage à l'ombre de mon bras ;
205 Il apprendrait à vaincre en me regardant faire ;
Et pour répondre en hâte à son grand caractère,
Il verrait...

D. DIÈGUE

Je le sais, vous servez bien le roi,
Je vous ai vu combattre et commander sous moi :
Quand l'âge dans mes nerfs a fait couler sa glace,
210 Votre rare valeur a bien rempli ma place ;
Enfin, pour épargner les discours superflus,
Vous êtes aujourd'hui ce qu'autrefois je fus.
Vous voyez toutefois qu'en cette concurrence
Un monarque entre nous met quelque différence.

LE COMTE

215 Ce que je méritais, vous l'avez emporté.

D. DIÈGUE

Qui l'a gagné sur vous l'avait mieux mérité.

LE COMTE

Qui peut mieux l'exercer en est bien le plus digne.

D. Dièguе

En être refusé n'en est pas un bon signe.

Le Comte

Vous l'avez eu par brigue, étant vieux courtisan.

D. Dièguе

220 L'éclat de mes hauts faits fut mon seul partisan.

Le Comte

Parlons-en mieux, le roi fait honneur à votre âge.

D. Dièguе

Le roi, quand il en fait, le mesure au courage.

Le Comte

Et par là cet honneur n'était dû qu'à mon bras.

D. Dièguе

Qui n'a pu l'obtenir ne le méritait pas.

Le Comte

225 Ne le méritait pas! moi?

D. Dièguе

Vous.

Le Comte

              Ton impudence,
Téméraire vieillard, aura sa récompense.

                    Il lui donne un soufflet.

D. Dièguе, *mettant l'épée à la main.*

Achève, et prends ma vie après un tel affront,

Le premier dont ma race ait vu rougir son front.

230
LE COMTE

Et que penses-tu faire avec tant de faiblesse?
O Dieu! ma force usée en ce besoin me laisse!

LE COMTE

Ton épée est à moi, mais tu serais trop vain,
Si ce honteux trophée avait chargé ma main.
235   Adieu. Fais lire au prince, en dépit de l'envie,
Pour son instruction, l'histoire de ta vie;
D'un insolent discours ce juste châtiment
Ne lui servira pas d'un petit ornement[22].

SCÈNE IV

D. DIÈGUE

O rage! ô désespoir! ô vieillesse ennemie!
240 N'ai-je donc tant vécu que pour cette infamie?
Et ne suis-je blanchi dans les travaux guerriers
Que pour voir en un jour flétrir tant de lauriers?
Mon bras qu'avec respect toute l'Espagne admire,
Mon bras, qui tant de fois a sauvé cet empire,
245 Tant de fois affermi le trône de son roi,
Trahit donc ma querelle, et ne fait rien pour moi?
O cruel souvenir de ma gloire passée!
Œuvre de tant de jours en un jour effacée!
Nouvelle dignité fatale à mon bonheur!
250 Précipice élevé d'où tombe mon honneur!
Faut-il de votre éclat voir triompher le comte,
Et mourir sans vengeance, ou vivre dans la honte?
Comte, sois de mon prince à présent gouverneur;
Ce haut rang n'admet point un homme sans honneur;
255 Et ton jaloux orgueil par cet affront insigne
Malgré le choix du roi, m'en a su rendre indigne.
Et toi, de mes exploits glorieux instrument,
Mais d'un corps tout de glace inutile ornement,
Fer, jadis tant à craindre, et qui, dans cette offense,

M'as servi de parade, et non pas de défense,
Va, quitte désormais le dernier des humains,
260 Passe, pour me venger, en de meilleures mains[23].

SCÈNE V

D. DIÈGUE, D. RODRIGUE

D. DIÈGUE

Rodrigue, as-tu du cœur ?

D. RODRIGUE

            Tout autre que mon père
L'éprouverait sur l'heure.

D. DIÈGUE

            Agréable colère !
Digne ressentiment à ma douleur bien doux !
Je reconnais mon sang à ce noble courroux ;
265 Ma jeunesse revit en cette ardeur si prompte.
Viens, mon fils, viens, mon sang, viens réparer ma honte ;
Viens me venger.

D. RODRIGUE

       De quoi ?

D. DIÈGUE

             D'un affront si cruel,
Qu'à l'honneur de tous deux il porte un coup mortel :
D'un soufflet. L'insolent en eût perdu la vie ;
270 Mais mon âge a trompé ma généreuse envie ;
Et ce fer que mon bras ne peut plus soutenir,
Je le remets au tien pour venger et punir.
  Va contre un arrogant éprouver ton courage :
Ce n'est que dans le sang qu'on lave un tel outrage ;
275 Meurs, ou tue. Au surplus, pour ne te point flatter,

Je te donne à combattre un homme à redouter ;
Je l'ai vu, tout couvert de sang et de poussière,
Porter partout l'effroi dans une armée entière.
J'ai vu par sa valeur cent escadrons rompus ;
280 Et pour t'en dire encor quelque chose de plus,
Plus que brave soldat, plus que grand capitaine,
C'est...

D. RODRIGUE

De grâce, achevez.

D. DIÈGUE

Le père de Chimène.

D. RODRIGUE

Le...

D. DIÈGUE

Ne réplique point, je connais ton amour,
Mais qui peut vivre infâme est indigne du jour ;
285 Plus l'offenseur est cher, et plus grande est l'offense.
Enfin tu sais l'affront, et tu tiens la vengeance :
Je ne te dis plus rien. Venge-moi, venge-toi ;
Montre-toi digne fils d'un père tel que moi.
Accablé des malheurs où le destin me range,
290 Je vais les déplorer. Va, cours vole, et nous venge.

SCÈNE VI

D. RODRIGUE

Percé jusques au fond du cœur[24]
D'une atteinte imprévue aussi bien que mortelle,
Misérable vengeur d'une juste querelle,
Et malheureux objet d'une injuste rigueur,
295 Je demeure immobile, et mon âme abattue
Cède au coup qui me tue.
Si près de voir mon feu récompensé,

O Dieu, l'étrange peine!
En cet affront mon père est l'offensé,
300   Et l'offenseur le père de Chimène!

Que je sens de rudes combats!
Contre mon propre honneur mon amour s'intéresse:
Il faut venger un père, et perdre une maîtresse.
L'un m'anime le cœur, l'autre retient mon bras.
305 Réduit au triste choix ou de trahir ma flamme,
   Ou de vivre en infâme,
 Des deux côtés mon mal est infini.
   O Dieu, l'étrange peine!
 Faut-il laisser un affront impuni?
310   Faut-il punir le père de Chimène?

 Père, maîtresse, honneur, amour,
Noble et dure contrainte, aimable tyrannie[25],
Tous mes plaisirs sont morts, ou ma gloire ternie.
L'un me rend malheureux, l'autre indigne du jour.
315 Cher et cruel espoir d'une âme généreuse,
   Mais ensemble amoureuse,
 Digne ennemi de mon plus grand bonheur,
   Fer qui causes ma peine,
 M'es-tu donné pour venger mon honneur?
320   M'es-tu donné pour perdre ma Chimène?

 Il vaut mieux courir au trépas.
Je dois à ma maîtresse aussi bien qu'à mon père;
J'attire en me vengeant sa haine et sa colère;
J'attire ses mépris en ne me vengeant pas.
325 A mon plus doux espoir l'un me rend infidèle,
   Et l'autre indigne d'elle.
 Mon mal augmente à le vouloir guérir;
   Tout redouble ma peine.
 Allons, mon âme; et puisqu'il faut mourir,
330   Mourons du moins sans offenser Chimène.

 Mourir sans tirer ma raison!
Rechercher un trépas si mortel à ma gloire!
Endurer que l'Espagne impute à ma mémoire

D'avoir mal soutenu l'honneur de ma maison !
335 Respecter un amour dont mon âme égarée
        Voit la perte assurée !
     N'écoutons plus ce penser suborneur,
        Qui ne sert qu'à ma peine.
     Allons, mon bras, sauvons du moins l'honneur,
340   Puisqu'après tout il faut perdre Chimène.

      Oui, mon esprit s'était déçu.
Je dois tout à mon père avant qu'à ma maîtresse :
Que je meure au combat, ou meure de tristesse,
Je rendrai mon sang pur comme je l'ai reçu.
345 Je m'accuse déjà de trop de négligence ;
       Courons à la vengeance ;
     Et tout honteux d'avoir tant balancé,
       Ne soyons plus en peine,
     Puisqu'aujourd'hui mon père est l'offensé,
350   Si l'offenseur est père de Chimène.

ACTE II

SCÈNE PREMIÈRE

D. ARIAS, LE COMTE

Le Comte

Je l'avoue entre nous, mon sang un peu trop chaud
S'est trop ému d'un mot, et l'a porté trop haut ;
Mais puisque c'en est fait, le coup est sans remède.

D. Arias

Qu'aux volontés du roi ce grand courage cède :
355 Il y prend grande part, et son cœur irrité
Agira contre vous de pleine autorité.
Aussi vous n'avez point de valable défense.
Le rang de l'offensé, la grandeur de l'offense,

Demandent des devoirs et des submissions
360 Qui passent le commun des satisfactions.

Le Comte

Le roi peut, à son gré, disposer de ma vie.

D. Arias

De trop d'emportement votre faute est suivie.
Le roi vous aime encore ; apaisez son courroux.
Il a dit : « Je le veux » ; désobéirez-vous ?

Le Comte

365 Monsieur, pour conserver tout ce que j'ai d'estime,
Désobéir un peu n'est pas un si grand crime ;
Et quelque grand qu'il soit, mes services présents
Pour le faire abolir sont plus que suffisants[26].

D. Arias

Quoi qu'on fasse d'illustre et de considérable,
370 Jamais à son sujet un roi n'est redevable.
Vous vous flattez beaucoup, et vous devez savoir
Que qui sert bien son roi ne fait que son devoir.
Vous vous perdrez, monsieur, sur cette confiance.

Le Comte

Je ne vous en croirai qu'après l'expérience.

D. Arias

375 Vous devez redouter la puissance d'un roi.

Le Comte

Un jour seul ne perd pas un homme tel que moi.
Que toute sa grandeur s'arme pour mon supplice,
Tout l'État périra, s'il faut que je périsse.

D. Arias

Quoi ! vous craignez si peu le pouvoir souverain...

Le Comte

380 D'un sceptre qui sans moi tomberait de sa main.
Il a trop d'intérêt lui-même en ma personne,
Et ma tête en tombant ferait choir sa couronne.

D. Arias

Souffrez que la raison remette vos esprits.
Prenez un bon conseil.

Le Comte

Le conseil en est pris.

D. Arias

385 Que lui dirai-je enfin ? je lui dois rendre conte.

Le Comte

Que je ne puis du tout consentir à ma honte.

D. Arias

Mais songez que les rois veulent être absolus.

Le Comte

Le sort en est jeté, monsieur, n'en parlons plus.

D. Arias

Adieu donc, puisqu'en vain je tâche à vous résoudre :
390 Avec tous vos lauriers, craignez encor le foudre[27].

Le Comte

Je l'attendrai sans peur.

D. Arias

Mais non pas sans effet.

Le Comte

Nous verrons donc par là don Diègue satisfait.

Il est seul.

Qui ne craint point la mort ne craint point les menaces.
J'ai le cœur au-dessus des plus fières disgrâces ;
395 Et l'on peut me réduire à vivre sans bonheur,
Mais non pas me résoudre à vivre sans honneur.

SCÈNE II

LE COMTE, D. RODRIGUE

D. Rodrigue

A moi, comte, deux mots.

Le Comte

Parle.

D. Rodrigue

Ote-moi d'un doute.
Connais-tu bien don Diègue ?

Le Comte

Oui.

D. Rodrigue

Parlons bas ; écoute.
Sais-tu que ce vieillard fut la même vertu,
400 La vaillance et l'honneur de son temps ? le sais-tu ?

LE COMTE

Peut-être.

D. RODRIGUE

     Cette ardeur que dans les yeux je porte,
Sais-tu que c'est son sang? le sais-tu?

LE COMTE

                    Que m'importe?

D. RODRIGUE

A quatre pas d'ici je te le fais savoir.

LE COMTE

Jeune présomptueux!

D. RODRIGUE

            Parle sans t'émouvoir.
405 Je suis jeune, il est vrai; mais aux âmes bien nées
La valeur n'attend point le nombre des années.

LE COMTE

Te mesurer à moi! qui t'a rendu si vain,
Toi qu'on n'a jamais vu les armes à la main!

D. RODRIGUE

Mes pareils à deux fois ne se font point connaître,
410 Et pour leurs coups d'essai veulent des coups de maître.

LE COMTE

Sais-tu bien qui je suis?

D. RODRIGUE

            Oui; tout autre que moi
Au seul bruit de ton nom pourrait trembler d'effroi.

Les palmes dont je vois ta tête si couverte
Semblent porter écrit le destin de ma perte.
415 J'attaque en téméraire un bras toujours vainqueur,
Mais j'aurai trop de force, ayant assez de cœur.
A qui venge son père il n'est rien d'impossible.
Ton bras est invaincu, mais non pas invincible.

Le Comte

Ce grand cœur qui paraît aux discours que tu tiens
420 Par tes yeux, chaque jour, se découvrait aux miens ;
Et croyant voir en toi l'honneur de la Castille,
Mon âme avec plaisir te destinait ma fille.
Je sais ta passion, et suis ravi de voir
Que tous ses mouvements cèdent à ton devoir ;
425 Qu'ils n'ont point affaibli cette ardeur magnanime ;
Que ta haute vertu répond à mon estime ;
Et que, voulant pour gendre un cavalier parfait,
Je ne me trompais point au choix que j'avais fait.
Mais je sens que pour toi ma pitié s'intéresse ;
430 J'admire ton courage, et je plains ta jeunesse.
Ne cherche point à faire un coup d'essai fatal ;
Dispense ma valeur d'un combat inégal ;
Trop peu d'honneur pour moi suivrait cette victoire :
A vaincre sans péril, on triomphe sans gloire.
435 On te croirait toujours abattu sans effort ;
Et j'aurais seulement le regret de ta mort.

D. Rodrigue

D'une indigne pitié ton audace est suivie :
Qui m'ose ôter l'honneur craint de m'ôter la vie !

Le Comte

Retire-toi d'ici.

D. Rodrigue

Marchons sans discourir.

LE COMTE

440 Es-tu si las de vivre?

D. RODRIGUE

As-tu peur de mourir?

LE COMTE

Viens, tu fais ton devoir, et le fils dégénère
Qui survit un moment à l'honneur de son père.

SCÈNE III

L'INFANTE, CHIMÈNE, LÉONOR

L'INFANTE

Apaise, ma Chimène, apaise ta douleur,
Fais agir ta constance en ce coup de malheur,
445 Tu reverras le calme après ce faible orage,
Ton bonheur n'est couvert que d'un peu de nuage,
Et tu n'as rien perdu pour le voir différer.

CHIMÈNE

Mon cœur outré d'ennuis n'ose rien espérer.
Un orage si prompt qui trouble une bonace
450 D'un naufrage certain nous porte la menace;
Je n'en saurais douter, je péris dans le port.
J'aimais, j'étais aimée, et nos pères d'accord;
Et je vous en contais la charmante nouvelle
Au malheureux moment que naissait leur querelle,
455 Dont le récit fatal, sitôt qu'on vous l'a fait,
D'une si douce attente a ruiné l'effet.
   Maudite ambition, détestable manie,
Dont les plus généreux souffrent la tyrannie!
Honneur impitoyable à mes plus chers désirs,
460 Que tu me vas coûter de pleurs et de soupirs!

L'Infante

Tu n'as dans leur querelle aucun sujet de craindre :
Un moment l'a fait naître, un moment va l'éteindre.
Elle a fait trop de bruit pour ne pas s'accorder,
Puisque déjà le roi les veut accommoder ;
465 Et tu sais que mon âme, à tes ennuis sensible,
Pour en tarir la source y fera l'impossible.

Chimène

Les accommodements ne font rien en ce point :
De si mortels affronts ne se réparent point.
En vain on fait agir la force ou la prudence ;
470 Si l'on guérit le mal, ce n'est qu'en apparence.
La haine que les cœurs conservent au-dedans
Nourrit des feux cachés, mais d'autant plus ardents.

L'Infante

Le saint nœud qui joindra don Rodrigue et Chimène
Des pères ennemis dissipera la haine ;
475 Et nous verrons bientôt votre amour le plus fort
Par un heureux hymen étouffer ce discord.

Chimène

Je le souhaite ainsi plus que je ne l'espère :
Don Diègue est trop altier, et je connais mon père.
Je sens couler des pleurs que je veux retenir ;
480 Le passé me tourmente, et je crains l'avenir.

L'Infante

Que crains-tu ? d'un vieillard l'impuissante faiblesse ?

Chimène

Rodrigue a du courage.

L'Infante

Il a trop de jeunesse.

CHIMÈNE

Les hommes valeureux le sont du premier coup.

L'INFANTE

Tu ne dois pas pourtant le redouter beaucoup :
485 Il est trop amoureux pour te vouloir déplaire ;
Et deux mots de ta bouche arrêtent sa colère.

CHIMÈNE

S'il ne m'obéit point, quel comble à mon ennui !
Et s'il peut m'obéir, que dira-t-on de lui ?
Étant né ce qu'il est, souffrir un tel outrage !
490 Soit qu'il cède ou résiste au feu qui me l'engage,
Mon esprit ne peut qu'être ou honteux ou confus
De son trop de respect, ou d'un juste refus.

L'INFANTE

Chimène a l'âme haute, et quoique intéressée,
Elle ne peut souffrir une basse pensée ;
495 Mais si jusques au jour de l'accommodement
Je fais mon prisonnier de ce parfait amant,
Et que j'empêche ainsi l'effet de son courage,
Ton esprit amoureux n'aura-t-il point d'ombrage ?

CHIMÈNE

Ah ! madame, en ce cas je n'ai plus de souci.

SCÈNE IV

L'INFANTE, CHIMÈNE, LÉONOR, LE PAGE

L'INFANTE

500 Page, cherchez Rodrigue, et l'amenez ici.

LE PAGE

Le comte de Gormas et lui...

CHIMÈNE

Bon Dieu ! je tremble.

L'INFANTE

Parlez.

LE PAGE

De ce palais ils sont sortis ensemble.

CHIMÈNE

Seuls ?

LE PAGE

Seuls, et qui semblaient tout bas se quereller.

CHIMÈNE

Sans doute ils sont aux mains, il n'en faut plus parler.
505 Madame, pardonnez à cette promptitude.

SCÈNE V

l'infante, léonor

L'INFANTE

Hélas ! que dans l'esprit je sens d'inquiétude !
Je pleure ses malheurs, son amant me ravit ;
Mon repos m'abandonne, et ma flamme revit.
Ce qui va séparer Rodrigue de Chimène
510 Fait renaître à la fois mon espoir et ma peine ;
Et leur division, que je vois à regret,
Dans mon esprit charmé jette un plaisir secret.

Léonor

Cette haute vertu qui règne dans votre âme
Se rend-elle si tôt à cette lâche flamme?

L'Infante

515 Ne la nomme point lâche, à présent que chez moi
Pompeuse et triomphante elle me fait la loi;
Porte-lui du respect, puisqu'elle m'est si chère.
Ma vertu la combat, mais malgré moi, j'espère;
Et d'un si fol espoir mon cœur mal défendu
520 Vole après un amant que Chimène a perdu.

Léonor

Vous laissez choir ainsi ce glorieux courage,
Et la raison chez vous perd ainsi son usage?

L'Infante

Ah! qu'avec peu d'effet on entend la raison,
Quand le cœur est atteint d'un si charmant poison!
525 Et lorsque le malade aime sa maladie,
Qu'il a peine à souffrir que l'on y remédie!

Léonor

Votre espoir vous séduit, votre mal vous est doux;
Mais enfin ce Rodrigue est indigne de vous.

L'Infante

Je ne le sais que trop; mais si ma vertu cède,
530 Apprends comme l'amour flatte un cœur qu'il possède.
   Si Rodrigue une fois sort vainqueur du combat,
Si dessous sa valeur ce grand guerrier s'abat,
Je puis en faire cas, je puis l'aimer sans honte.
Que ne fera-t-il point, s'il peut vaincre le comte!
535 J'ose m'imaginer qu'à ses moindres exploits
Les royaumes entiers tomberont sous ses lois;
Et mon amour flatteur déjà me persuade
Que je le vois assis au trône de Grenade,

Les Maures subjugués trembler en l'adorant,
540 L'Aragon recevoir ce nouveau conquérant,
Le Portugal se rendre, et ses nobles journées
Porter delà les mers ses hautes destinées,
Du sang des Africains arroser ses lauriers;
Enfin tout ce qu'on dit des plus fameux guerriers,
545 Je l'attends de Rodrigue après cette victoire,
Et fais de son amour un sujet de ma gloire.

LÉONOR

Mais, madame, voyez où vous portez son bras,
Ensuite d'un combat qui peut-être n'est pas[28].

L'INFANTE

Rodrigue est offensé, le comte a fait l'outrage;
550 Ils sont sortis ensemble, en faut-il davantage?

LÉONOR

Eh bien! ils se battront, puisque vous le voulez;
Mais Rodrigue ira-t-il si loin que vous allez?

L'INFANTE

Que veux-tu? je suis folle, et mon esprit s'égare;
Tu vois par là quels maux cet amour me prépare.
555 Viens dans mon cabinet consoler mes ennuis;
Et ne me quitte point dans le trouble où je suis.

SCÈNE VI

D. FERNAND, D. ARIAS, D. SANCHE

D. FERNAND

Le comte est donc si vain et si peu raisonnable!
Ose-t-il croire encor son crime pardonnable?

D. Arias

Je l'ai de votre part longtemps entretenu.
560 J'ai fait mon pouvoir, sire, et n'ai rien obtenu.

D. Fernand

Justes cieux! ainsi donc un sujet téméraire
A si peu de respect et de soin de me plaire!
Il offense don Diègue, et méprise son roi!
Au milieu de ma cour il me donne la loi!
565 Qu'il soit brave guerrier, qu'il soit grand capitaine,
Je saurai bien rabattre une humeur si hautaine;
Fût-il la valeur même, et le dieu des combats,
Il verra ce que c'est que de n'obéir pas.
Quoi qu'ait pu mériter une telle insolence,
570 Je l'ai voulu d'abord traiter sans violence;
Mais puisqu'il en abuse, allez dès aujourd'hui,
Soit qu'il résiste ou non, vous assurer de lui.

D. Sanche

Peut-être un peu de temps le rendrait moins rebelle;
On l'a pris tout bouillant encor de sa querelle;
575 Sire, dans la chaleur d'un premier mouvement,
Un cœur si généreux se rend malaisément.
Il voit bien qu'il a tort, mais une âme si haute
N'est pas sitôt réduite à confesser sa faute.
Don Sanche, taisez-vous, et soyez averti
580 Qu'on se rend criminel à prendre son parti.

D. Sanche

J'obéis, et me tais; mais, de grâce encor, sire,
Deux mots en sa défense.

D. Fernand

Et que pouvez-vous dire?

D. Sanche

Qu'une âme accoutumée aux grandes actions

Ne se peut abaisser à des submissions :
585 Elle n'en conçoit point qui s'expliquent sans honte :
Et c'est à ce mot seul qu'a résisté le comte.
Il trouve en son devoir un peu trop de rigueur,
Et vous obéirait, s'il avait moins de cœur[29].
Commandez que son bras, nourri dans les alarmes,
590 Répare cette injure à la pointe des armes ;
Il satisfera, sire ; et vienne qui voudra,
Attendant qu'il l'ait su, voici qui répondra.

D. Fernand

Vous perdez le respect ; mais je pardonne à l'âge,
Et j'excuse l'ardeur en un jeune courage.
595 Un roi, dont la prudence a de meilleurs objets,
Est meilleur ménager du sang de ses sujets :
Je veille pour les miens, mes soucis les conservent,
Comme le chef a soin des membres qui le servent.
Ainsi votre raison n'est pas raison pour moi :
600 Vous parlez en soldat, je dois agir en roi ;
Et quoi qu'on veuille dire, et quoi qu'il ose croire,
Le comte à m'obéir ne peut perdre sa gloire.
D'ailleurs l'affront me touche, il a perdu d'honneur
Celui que de mon fils j'ai fait le gouverneur ;
605 S'attaquer à mon choix, c'est se prendre à moi-même,
Et faire un attentat sur le pouvoir suprême.
N'en parlons plus. Au reste, on a vu dix vaisseaux
De nos vieux ennemis arborer les drapeaux ;
Vers la bouche du fleuve ils ont osé paraître.

D. Arias

610 Les Maures ont appris par force à vous connaître,
Et tant de fois vaincus, ils ont perdu le cœur
De se plus hasarder contre un si grand vainqueur.

D. Fernand

Ils ne verront jamais, sans quelque jalousie,
Mon sceptre, en dépit d'eux, régir l'Andalousie ;
615 Et ce pays si beau, qu'ils ont trop possédé,
Avec un œil d'envie est toujours regardé.

C'est l'unique raison qui m'a fait dans Séville
Placer depuis dix ans le trône de Castille[30],
Pour les voir de plus près, et d'un ordre plus prompt
620 Renverser aussitôt ce qu'ils entreprendront.

D. Arias

Ils savent aux dépens de leurs plus dignes têtes
Combien votre présence assure vos conquêtes :
Vous n'avez rien à craindre.

D. Fernand

                   Et rien à négliger.
Le trop de confiance attire le danger ;
625 Et vous n'ignorez pas qu'avec fort peu de peine
Un flux de pleine mer jusqu'ici les amène.
Toutefois j'aurais tort de jeter dans les cœurs,
L'avis étant mal sûr, de paniques terreurs.
L'effroi que produirait cette alarme inutile,
630 Dans la nuit qui survient troublerait trop la ville :
Faites doubler la garde aux murs et sur le port.
C'est assez pour ce soir.

SCÈNE VII

D. FERNAND, D. SANCHE, D. ALONSE

D. Alonse

             Sire, le comte est mort.
Don Diègue, par son fils, a vengé son offense.

D. Fernand

Dès que j'ai su l'affront, j'ai prévu la vengeance ;
635 Et j'ai voulu dès lors prévenir ce malheur.

D. Alonse

Chimène à vos genoux apporte sa douleur ;

Elle vient toute en pleurs vous demander justice
Bien qu'à ses déplaisirs mon âme compatisse,
Ce que le comte a fait semble avoir mérité
640 Ce digne châtiment de sa témérité.
Quelque juste pourtant que puisse être sa peine,
Je ne puis sans regret perdre un tel capitaine.
Après un long service à mon État rendu,
Après son sang pour moi mille fois répandu,
645 A quelques sentiments que son orgueil m'oblige,
Sa perte m'affaiblit, et son trépas m'afflige.

SCÈNE VIII

D. FERNAND, D. DIÈGUE, CHIMÈNE, D. SANCHE,
D. ARIAS, D. ALONSE

CHIMÈNE

Sire, sire, justice !

D. DIÈGUE

Ah ! sire, écoutez-nous.

CHIMÈNE

Je me jette à vos pieds.

D. DIÈGUE

J'embrasse vos genoux.

CHIMÈNE

Je demande justice.

D. DIÈGUE

Entendez ma défense.

CHIMÈNE

650 D'un jeune audacieux punissez l'insolence :
Il a de votre sceptre abattu le soutien,
Il a tué mon père.

D. DIÈGUE

Il a vengé le sien.

CHIMÈNE

Au sang de ses sujets un roi doit la justice.

D. DIÈGUE

Pour la juste vengeance il n'est point de supplice.

D. FERNAND

655 Levez-vous l'un et l'autre, et parlez à loisir.
Chimène, je prends part à votre déplaisir;
D'une égale douleur je sens mon âme atteinte.
Vous parlerez après; ne troublez pas sa plainte.

CHIMÈNE

Sire, mon père est mort; mes yeux ont vu son sang
660 Couler à gros bouillons de son généreux flanc;
Ce sang qui tant de fois garantit vos murailles,
Ce sang qui tant de fois vous gagna des batailles,
Ce sang qui tout sorti fume encor de courroux
De se voir répandu pour d'autres que pour vous,
665 Qu'au milieu des hasards n'osait verser la guerre,
Rodrigue en votre cour vient d'en couvrir la terre.
J'ai couru sur le lieu, sans force et sans couleur,
Je l'ai trouvé sans vie. Excusez ma douleur,
Sire, la voix me manque à ce récit funeste;
670 Mes pleurs et mes soupirs vous diront mieux le reste.

D. FERNAND

Prends courage, ma fille, et sache qu'aujourd'hui
Ton roi te veut servir de père au lieu de lui.

CHIMÈNE

Sire, de trop d'honneur ma misère est suivie.
Je vous l'ai déjà dit, je l'ai trouvé sans vie;
675 Son flanc était ouvert; et pour mieux m'émouvoir,
Son sang sur la poussière écrivait mon devoir;
Ou plutôt sa valeur en cet état réduite
Me parlait par sa plaie, et hâtait ma poursuite;
Et pour se faire entendre au plus juste des rois,
680 Par cette triste bouche elle empruntait ma voix[31].
Sire, ne souffrez pas que sous votre puissance
Règne devant vos yeux une telle licence;
Que les plus valeureux, avec impunité,
Soient exposés aux coups de la témérité;
685 Qu'un jeune audacieux triomphe de leur gloire,
Se baigne dans leur sang, et brave leur mémoire.
Un si vaillant guerrier qu'on vient de vous ravir
Éteint, s'il n'est vengé, l'ardeur de vous servir.
Enfin mon père est mort, j'en demande vengeance,
690 Plus pour votre intérêt que pour mon allégeance.
Vous perdez en la mort d'un homme de son rang;
Vengez-la par une autre, et le sang par le sang.
Immolez, non à moi, mais à votre couronne,
Mais à votre grandeur, mais à votre personne;
695 Immolez, dis-je, sire, au bien de tout l'État
Tout ce qu'enorgueillit un si haut attentat.

D. FERNAND

Don Diègue, répondez.

D. DIÈGUE

Qu'on est digne d'envie
Lorsqu'en perdant la force on perd aussi la vie,
Et qu'un long âge apprête aux hommes généreux,
700 Au bout de leur carrière, un destin malheureux!
Moi, dont les longs travaux ont acquis tant de gloire,
Moi, que jadis partout a suivi la victoire,
Je me vois aujourd'hui, pour avoir trop vécu,
Recevoir un affront et demeurer vaincu.
705 Ce que n'a pu jamais combat, siège, embuscade,

Ce que n'a pu jamais Aragon ni Grenade,
Ni tous vos ennemis, ni tous mes envieux,
Le comte en votre cour l'a fait presque à vos yeux,
Jaloux de votre choix, et fier de l'avantage
710 Que lui donnait sur moi l'impuissance de l'âge.
Sire, ainsi ces cheveux blanchis sous le harnois,
Ce sang pour vous servir prodigué tant de fois,
Ce bras, jadis l'effroi d'une armée ennemie,
Descendaient au tombeau tous chargés d'infamie,
715 Si je n'eusse produit un fils digne de moi,
Digne de son pays, et digne de son roi.
Il m'a prêté sa main, il a tué le comte;
Il m'a rendu l'honneur, il a lavé ma honte.
Si montrer du courage et du ressentiment,
720 Si venger un soufflet mérite un châtiment,
Sur moi seul doit tomber l'éclat de la tempête :
Quand le bras a failli, l'on en punit la tête.
Qu'on nomme crime, ou non, ce qui fait nos débats,
Sire, j'en suis la tête, il n'en est que le bras.
725 Si Chimène se plaint qu'il a tué son père,
Il ne l'eût jamais fait si je l'eusse pu faire.
Immolez donc ce chef que les ans vont ravir,
Et conservez pour vous le bras qui peut servir.
Aux dépens de mon sang satisfaites Chimène :
730 Je n'y résiste point, je consens à ma peine;
Et, loin de murmurer d'un rigoureux décret,
Mourant sans déshonneur, je mourrai sans regret.

D. Fernand

L'affaire est d'importance, et, bien considérée,
Mérite en plein conseil d'être délibérée.
735 Don Sanche, remettez Chimène en sa maison.
Don Diègue aura ma cour et sa foi pour prison.
Qu'on me cherche son fils. Je vous ferai justice.

Chimène

Il est juste, grand roi, qu'un meurtrier périsse.

D. Fernand

Prends du repos, ma fille, et calme tes douleurs.

Chimène

740 M'ordonner du repos, c'est croître mes malheurs.

ACTE III

SCÈNE PREMIÈRE

D. RODRIGUE, ELVIRE

Elvire

Rodrigue, qu'as-tu fait ? où viens-tu, misérable ?

D. Rodrigue

Suivre le triste cours de mon sort déplorable.

Elvire

Où prends-tu cette audace et ce nouvel orgueil
De paraître en des lieux que tu remplis de deuil ?
745 Quoi ! viens-tu jusqu'ici braver l'ombre du comte ?
Ne l'as-tu pas tué ?

D. Rodrigue

       Sa vie était ma honte ;
Mon honneur de ma main a voulu cet effort.

Elvire

Mais chercher ton asile en la maison du mort !
Jamais un meurtrier en fit-il son refuge ?

D. Rodrigue

750 Et je n'y viens aussi que m'offrir à mon juge.
Ne me regarde plus d'un visage étonné;
Je cherche le trépas après l'avoir donné.
Mon juge est mon amour, mon juge est ma Chimène :
Je mérite la mort de mériter sa haine,
755 Et j'en viens recevoir, comme un bien souverain,
Et l'arrêt de sa bouche, et le coup de sa main.

Elvire

Fuis plutôt de ses yeux, fuis de sa violence;
A ses premiers transports dérobe ta présence.
Va, ne t'expose point aux premiers mouvements
760 Que poussera l'ardeur de ses ressentiments.

D. Rodrigue

Non, non, ce cher objet à qui j'ai pu déplaire
Ne peut pour mon supplice avoir trop de colère;
Et j'évite cent morts qui me vont accabler,
Si pour mourir plus tôt je puis la redoubler.

Elvire

765 Chimène est au palais, de pleurs toute baignée,
Et n'en reviendra point que bien accompagnée.
Rodrigue, fuis,de grâce, ôte-moi de souci.
Que ne dira-t-on point si l'on te voit ici?
Veux-tu qu'un médisant, pour comble à sa misère,
770 L'accuse d'y souffrir l'assassin de son père?
Elle va revenir; elle vient, je la voi :
Du moins pour son honneur, Rodrigue, cache-toi.

SCÈNE II

D. SANCHE, CHIMÈNE, ELVIRE

D. SANCHE

Oui, madame, il vous faut de sanglantes victimes :
Votre colère est juste, et vos pleurs légitimes ;
775 Et je n'entreprends pas, à force de parler,
Ni de vous adoucir, ni de vous consoler.
Mais si de vous servir je puis être capable,
Employez mon épée à punir le coupable ;
Employez mon amour à venger cette mort :
780 Sous vos commandements mon bras sera trop fort.

CHIMÈNE

Malheureuse !

D. SANCHE

De grâce, acceptez mon service.

CHIMÈNE

J'offenserais le roi, qui m'a promis justice.

D. SANCHE

Vous savez qu'elle marche avec tant de langueur,
Qu'assez souvent le crime échappe à sa longueur ;
785 Son cours lent et douteux fait trop perdre de larmes.
Souffrez qu'un cavalier vous venge par les armes :
La voie en est plus sûre, et plus prompte à punir.

CHIMÈNE

C'est le dernier remède ; et s'il y faut venir,
Et que de mes malheurs cette pitié vous dure,
790 Vous serez libre alors de venger mon injure.

D. Sanche

C'est l'unique bonheur où mon âme prétend ;
Et pouvant l'espérer, je m'en vais trop content.

SCÈNE III

CHIMÈNE, ELVIRE

Chimène

Enfin je me vois libre, et je puis, sans contrainte,
De mes vives douleurs te faire voir l'atteinte ;
795 Je puis donner passage à mes tristes soupirs ;
Je puis t'ouvrir mon âme et tous mes déplaisirs.
Mon père est mort, Elvire ; et la première épée
Dont s'est armé Rodrigue, a sa trame coupée.
Pleurez, pleurez, mes yeux, et fondez-vous en eau !
800 La moitié de ma vie a mis l'autre au tombeau[32],
Et m'oblige à venger, après ce coup funeste,
Celle que je n'ai plus sur celle qui me reste.

Elvire

Reposez-vous, madame.

Chimène

                    Ah ! que mal à propos
Dans un malheur si grand tu parles de repos !
805 Par où sera jamais ma douleur apaisée,
Si je ne puis haïr la main qui l'a causée ?
Et que dois-je espérer qu'un tourment éternel,
Si je poursuis un crime, aimant le criminel !

Elvire

Il vous prive d'un père, et vous l'aimez encore !

Chimène

810 C'est peu de dire aimer, Elvire, je l'adore ;

Ma passion s'oppose à mon ressentiment;
Dedans mon ennemi je trouve mon amant;
Je sens qu'en dépit de toute ma colère,
Rodrigue dans mon cœur combat encor mon père.
815 Il l'attaque, il le presse, il cède, il se défend,
Tantôt fort, tantôt faible, et tantôt triomphant:
Mais en ce dur combat de colère et de flamme,
Il déchire mon cœur sans partager mon âme;
Et quoi que mon amour ait sur moi de pouvoir,
820 Je ne consulte point pour suivre mon devoir;
Je cours sans balancer où mon honneur m'oblige.
Rodrigue m'est bien cher, son intérêt m'afflige;
Mon cœur prend son parti; mais, malgré son effort,
Je sais ce que je suis, et que mon père est mort.

ELVIRE

825 Pensez-vous le poursuivre?

CHIMÈNE

                    Ah! cruelle pensée!
Et cruelle poursuite où je me vois forcée!
Je demande sa tête, et crains de l'obtenir:
Ma mort suivra la sienne, et je le veux punir!

ELVIRE

Quittez, quittez, madame, un dessein si tragique;
830 Ne vous imposez point de loi si tyrannique.

CHIMÈNE

Quoi! mon père étant mort et presque entre mes bras,
Son sang criera vengeance, et je ne l'orrai pas!
Mon cœur, honteusement surpris par d'autres charmes,
Croira ne lui devoir que d'impuissantes larmes!
835 Et je pourrai souffrir qu'un amour suborneur
Sous un lâche silence étouffe mon honneur!

ELVIRE

Madame, croyez-moi, vous serez excusable

D'avoir moins de chaleur contre un objet aimable ;
Contre un amant si cher, Vous avez assez fait,
840 Vous avez vu le roi ; n'en pressez point l'effet,
Ne vous obstinez point en cette humeur étrange.

CHIMÈNE

Il y va de ma gloire, il faut que je me venge ;
Et de quoi que nous flatte un désir amoureux,
Toute excuse est honteuse aux esprits généreux.

ELVIRE

845 Mais vous aimez Rodrigue, il ne peut vous déplaire.

CHIMÈNE

Je l'avoue.

ELVIRE

Après tout que pensez-vous donc faire ?

CHIMÈNE

Pour conserver ma gloire et finir mon ennui,
Le poursuivre, le perdre, et mourir après lui.

SCÈNE IV

D. RODRIGUE, CHIMÈNE, ELVIRE

D. RODRIGUE

Eh bien ! sans vous donner la peine de poursuivre,
850 Assurez-vous l'honneur de m'empêcher de vivre[33].

CHIMÈNE

Elvire, où sommes-nous, et qu'est-ce que je voi ?
Rodrigue en ma maison ! Rodrigue devant moi !

D. Rodrigue

N'épargnez point mon sang; goûtez, sans résistance,
La douceur de ma perte et de votre vengeance.

Chimène

855 Hélas!

D. Rodrigue

Écoute-moi.

Chimène

Je me meurs.

D. Rodrigue

Un moment.

Chimène

Va, laisse-moi mourir.

D. Rodrigue

Quatre mots seulement;
Après, ne me réponds qu'avecque cette épée.

Chimène

Quoi! du sang de mon père encor toute trempée!

D. Rodrigue

Ma Chimène...

Chimène

Ote-moi cet objet odieux,
860 Qui reproche ton crime et ta vie à mes yeux.

D. Rodrigue

Regarde-le plutôt pour exciter ta haine,

Pour croître ta colère, et pour hâter ma peine.

CHIMÈNE

Il est teint de mon sang.

D. RODRIGUE

Plonge-le dans le mien,
Et fais-lui perdre ainsi la teinture du tien.

865   CHIMÈNE

Ah ! quelle cruauté, qui tout en un jour tue
Le père par le fer, la fille par la vue !
Ote-moi cet objet, je ne le puis souffrir :
Tu veux que je t'écoute, et tu me fais mourir !

D. RODRIGUE
870
Je fais ce que tu veux, mais sans quitter l'envie
De finir par tes mains ma déplorable vie ;
Car enfin n'attends pas de mon affection
Un lâche repentir d'une bonne action.
875 L'irréparable effet d'une chaleur trop prompte
Déshonorait mon père, et me couvrait de honte.
Tu sais comme un soufflet touche un homme de cœur.
J'avais part à l'affront, j'en ai cherché l'auteur :
Je l'ai vu, j'ai vengé mon honneur et mon père ;
880 Je je ferais encor, si j'avais à le faire.
Ce n'est pas qu'en effet, contre mon père et moi,
Ma flamme assez longtemps n'ait combattu pour toi :
Juge de son pouvoir : dans une telle offense
J'ai pu délibérer si j'en prendrais vengeance.
885 Réduit à te déplaire, ou souffrir un affront,
J'ai pensé qu'à son tour mon bras était trop prompt,
Je me suis accusé de trop de violence ;
Et ta beauté, sans doute, emportait la balance,
A moins que d'opposer à tes plus forts appas
890 Qu'un homme sans honneur ne te méritait pas ;
Que malgré cette part que j'avais en ton âme,
Qui m'aima généreux me haïrait infâme ;

Qu'écouter ton amour, obéir à sa voix,
C'était m'en rendre indigne et diffamer ton choix.
Je te le dis encore, et, quoique j'en soupire,
Jusqu'au dernier soupir je veux bien le redire :
895 Je t'ai fait une offense, et j'ai dû m'y porter
Pour effacer ma honte, et pour te mériter ;
Mais, quitte envers l'honneur, et quitte envers mon père,
C'est maintenant à toi que je viens satisfaire :
C'est pour t'offrir mon sang qu'en ce lieu tu me vois.
900 J'ai fait ce que j'ai dû, je fais ce que je dois.
Je sais qu'un père mort t'arme contre mon crime ;
Je ne t'ai pas voulu dérober ta victime :
Immole avec courage au sang qu'il a perdu
Celui qui met sa gloire à l'avoir répandu.

CHIMÈNE

905 Ah ! Rodrigue ! il est vrai, quoique ton ennemie,
Je ne puis te blâmer d'avoir fui l'infamie ;
Et, de quelque façon qu'éclatent mes douleurs,
Je ne t'accuse point, je pleure mes malheurs.
Je sais ce que l'honneur, après un tel outrage,
910 Demandait à l'ardeur d'un généreux courage :
Tu n'as fait le devoir que d'un homme de bien ;
Mais aussi, le faisant, tu m'as appris le mien.
Ta funeste valeur m'instruit par ta victoire ;
Elle a vengé ton père et soutenu ta gloire :
915 Même soin me regarde, et j'ai, pour m'affliger,
Ma gloire à soutenir, et mon père à venger.
Hélas ! ton intérêt ici me désespère.
Si quelque autre malheur m'avait ravi mon père,
Mon âme aurait trouvé dans le bien de te voir
920 L'unique allégement qu'elle eût pu recevoir ;
Et contre ma douleur j'aurais senti des charmes,
Quand une main si chère eût essuyé mes larmes.
Mais il me faut te perdre après l'avoir perdu ;
Cet effort sur ma flamme à mon honneur est dû ;
925 Et cet affreux devoir, dont l'ordre m'assassine,
Me force à travailler moi-même à ta ruine.
Car enfin n'attends pas de mon affection
De lâches sentiments pour ta punition[34].

De quoi qu'en ta faveur notre amour m'entretienne,
930 Ma générosité doit répondre à la tienne :
Tu t'es, en m'offensant, montré digne de moi;
Je me dois, par ta mort, montrer digne de toi.

D. Rodrigue

Ne diffère donc plus ce que l'honneur t'ordonne :
Il demande ma tête, et je te l'abandonne;
935 Fais-en un sacrifice à ce noble intérêt,
Le coup m'en sera doux, aussi bien que l'arrêt.
Attendre après mon crime une lente justice,
C'est reculer ta gloire autant que mon supplice.
Je mourrai trop heureux mourant d'un coup si beau.

Chimène

940 Va, je suis ta partie, et non pas ton bourreau.
Si tu m'offres ta tête, est-ce à moi de la prendre?
Je la dois attaquer, mais tu dois la défendre;
C'est d'un autre que toi qu'il me faut l'obtenir,
Et je dois te poursuivre, et non pas te punir.

D. Rodrigue

945 De quoi qu'en ma faveur notre amour t'entretienne,
Ta générosité doit répondre à la mienne;
Et pour venger un père emprunter d'autres bras,
Ma Chimène, crois-moi, c'est n'y répondre pas :
Ma main seule du mien a su venger l'offense,
950 Ta main seule du tien doit prendre la vengeance.

Chimène

Cruel! à quel propos sur ce point t'obstiner?
Tu t'es vengé sans aide, et tu m'en veux donner!
Je suivrai ton exemple, et j'ai trop de courage
Pour souffrir qu'avec toi ma gloire se partage.
955 Mon père et mon honneur ne veulent rien devoir
Aux traits de ton amour, ni de ton désespoir.

D. Rodrigue

Rigoureux point d'honneur! hélas! quoi que je fasse,
Ne pourrai-je à la fin obtenir cette grâce?
Au nom d'un père mort, ou de notre amitié,
960 Punis-moi par vengeance, ou du moins par pitié.
Ton malheureux amant aura bien moins de peine
A mourir par ta main qu'à vivre avec ta haine.

Chimène

Va, je ne te hais point.

D. Rodrigue

Tu le dois.

Chimène

Je ne puis.

D. Rodrigue

Crains-tu si peu le blâme, et si peu les faux bruits?
965 Quand on saura mon crime, et que ta flamme dure,
Que ne publieront point l'envie et l'imposture!
Force-les au silence, et, sans plus discourir,
Sauve ta renommée en me faisant mourir.

Chimène

Elle éclate bien mieux en te laissant la vie;
970 Et je veux que la voix de la plus noire envie
Elève au ciel ma gloire et plaigne mes ennuis,
Sachant que je t'adore et que je te poursuis.
Va-t'en, ne montre plus à ma douleur extrême
Ce qu'il faut que je perde, encore que je l'aime.
975 Dans l'ombre de la nuit cache bien ton départ;
Si l'on te voit sortir, mon honneur court hasard.
La seule occasion qu'aura la médisance,
C'est de savoir qu'ici j'ai souffert ta présence:
Ne lui donne point lieu d'attaquer ma vertu.

D. Rodrigue

980 Que je meure !

Chimène

Va-t'en.

D. Rodrigue

A quoi te résous-tu ?

Chimène

Malgré des feux si beaux qui troublent ma colère,
Je ferai mon possible à bien venger mon père ;
Mais, malgré la rigueur d'un si cruel devoir,
Mon unique souhait est de ne rien pouvoir.

D. Rodrigue

985 O miracle d'amour !

Chimène

O comble de misères !

D. Rodrigue

Que de maux et de pleurs nous coûteront nos pères !

Chimène

Rodrigue, qui l'eût cru ?

D. Rodrigue

Chimène, qui l'eût dit ?

Chimène

Que notre heur fût si proche, et sitôt se perdît ?

D. Rodrigue

Et que si près du port, contre toute apparence,

990 Un orage si prompt brisât notre espérance?

CHIMÈNE

Ah! mortelles douleurs!

D. RODRIGUE

Ah! regrets superflus!

CHIMÈNE

Va-t'en, encore un coup, je ne t'écoute plus.

D. RODRIGUE

Adieu; je vais traîner une mourante vie,
Tant que par ta poursuite elle me soit ravie.

995

CHIMÈNE

Si j'en obtiens l'effet, je t'engage ma foi
De ne respirer pas un moment après toi.
Adieu; sors, et surtout garde bien qu'on te voie.

ELVIRE

Madame, quelques maux que le ciel nous envoie...

CHIMÈNE

1000

Ne m'importune plus, laisse-moi soupirer.
Je cherche le silence et la nuit pour pleurer.

SCÈNE V

D. DIÈGUE

Jamais nous ne goûtons de parfaite allégresse:
Nos plus heureux succès sont mêlés de tristesse;
1005 Toujours quelques soucis en ces événements
Troublent la pureté de nos contentements.
Au milieu du bonheur mon âme en sent l'atteinte:

Je nage dans la joie, et je tremble de crainte.
J'ai vu mort l'ennemi qui m'avait outragé ;
Et je ne saurais voir la main qui m'a vengé.
En vain je m'y travaille, et d'un soin inutile,
1010 Tout cassé que je suis, je cours toute la ville :
Ce peu que mes vieux ans m'ont laissé de vigueur
Se consume sans fruit à chercher ce vainqueur.
A toute heure, en tous lieux, dans une nuit si sombre,
Je pense l'embrasser, et n'embrasse qu'une ombre ;
1015 Et mon amour, déçu par cet objet trompeur,
Se forme des soupçons qui redoublent ma peur.
Je ne découvre point de marques de sa fuite ;
Je crains du comte mort les amis et la suite ;
Leur nombre m'épouvante et confond ma raison.
1020 Rodrigue ne vit plus, ou respire en prison.
Justes cieux ! me trompé-je encore à l'apparence,
Ou si je vois enfin mon unique espérance ?
C'est lui, n'en doutons plus ; mes vœux sont exaucés,
Ma crainte est dissipée, et mes ennuis cessés.

SCÈNE VI

D. DIÈGUE, D. RODRIGUE

D. Diègue

1025 Rodrigue, enfin le ciel permet que je te voie !

D. Rodrigue

Hélas !

D. Diègue

Ne mêle point de soupirs à ma joie ;
Laisse-moi prendre haleine afin de te louer.
Ma valeur n'a point lieu de te désavouer ;
Tu l'as bien imitée, et ton illustre audace
1030 Fait bien revivre en toi les héros de ma race ;
C'est d'eux que tu descends, c'est de moi que tu viens ;

Ton premier coup d'épée égale tous les miens ;
Et d'une belle ardeur ta jeunesse animée
Par cette grande épreuve atteint ma renommée.
1035 Appui de ma vieillesse, et comble de mon heur,
Touche ces cheveux blancs à qui tu rends l'honneur ;
Viens baiser cette joue, et reconnais la place
Où fut empreint l'affront que ton courage efface.

D. Rodrigue

L'honneur vous en est dû ; je ne pouvais pas moins
1040 Étant sorti de vous et nourri par vos soins.
Je m'en tiens trop heureux, et mon âme est ravie
Que mon coup d'essai plaise à qui je dois la vie ;
Mais parmi vos plaisirs ne soyez point jaloux
Si je m'ose à mon tour satisfaire après vous.
1045 Souffrez qu'en liberté mon désespoir éclate ;
Assez et trop longtemps votre discours le flatte.
Je ne me repens point de vous avoir servi ;
Mais rendez-moi le bien que ce coup m'a ravi.
Mon bras pour vous venger, armé contre ma flamme,
1050 Par ce coup glorieux m'a privé de mon âme.
Ne me dites plus rien ; pour vous j'ai tout perdu :
Ce que je vous devais, je vous l'ai bien rendu.

D. Diègue

Porte, porte plus haut le fruit de ta victoire :
Je t'ai donné la vie, et tu me rends ma gloire ;
1055 Et d'autant que l'honneur m'est plus cher que le jour,
D'autant plus maintenant je te dois de retour[35].
Mais d'un cœur magnanime éloigne ces faiblesses ;
Nous n'avons qu'un honneur, il est tant de maîtresses !
L'amour n'est qu'un plaisir, l'honneur est un devoir.

D. Rodrigue

1060 Ah ! que me dites-vous ?

D. Diègue

Ce que tu dois savoir.

D. Rodrigue

Mon honneur offensé sur moi-même se venge;
Et vous m'osez pousser à la honte du change!
L'infamie est pareille, et suit également
Le guerrier sans courage et le perfide amant.
1065 A ma fidélité ne faites point d'injure;
Souffrez-moi généreux sans me rendre parjure;
Mes liens sont trop forts pour être ainsi rompus;
Ma foi m'engage encor si je n'espère plus;
Et, ne pouvant quitter ni posséder Chimène,
1070 Le trépas que je cherche est ma plus douce peine.

D. Diègue

Il n'est pas temps encor de chercher le trépas :
Ton prince et ton pays ont besoin de ton bras.
La flotte qu'on craignait, dans ce grand fleuve entrée,
Croit surprendre la ville et piller la contrée.
1075 Les Maures vont descendre, et le flux et la nuit
Dans une heure à nos murs les amènent sans bruit.
La cour est en désordre, et le peuple en alarmes;
On n'entend que des cris, on ne voit que des larmes.
Dans ce malheur public mon bonheur a permis
1080 Que j'ai trouvé chez moi cinq cents de mes amis,
Qui, sachant mon affront, poussés d'un même zèle,
Se venaient tous offrir à venger ma querelle.
Tu les as prévenus; mais leurs vaillantes mains
Se tremperont bien mieux au sang des Africains.
1085   Va marcher à leur tête où l'honneur te demande;
C'est toi que veut pour chef leur généreuse bande.
De ces vieux ennemis va soutenir l'abord :
Là, si tu veux mourir, trouve une belle mort,
Prends-en l'occasion, puisqu'elle t'est offerte;
1090 Fais devoir à ton roi son salut à ta perte;
Mais reviens-en plutôt les palmes sur le front.
Ne borne pas ta gloire à venger un affront,
Porte-la plus avant, force par ta vaillance
Ce monarque au pardon, et Chimène au silence;
1095 Si tu l'aimes, apprends que revenir vainqueur
C'est l'unique moyen de regagner son cœur.

Mais le temps est trop cher pour le perdre en paroles ;
Je t'arrête en discours, et je veux que tu voles.
Viens, suis-moi, va combattre, et montrer à ton roi
1100 Que ce qu'il perd au comte il le recouvre en toi.

ACTE IV

SCÈNE PREMIÈRE

CHIMÈNE, ELVIRE

CHIMÈNE

N'est-ce point un faux bruit ? le sais-tu bien, Elvire ?

ELVIRE

Vous ne croiriez jamais comme chacun l'admire,
Et porte jusqu'au ciel, d'une commune voix,
De ce jeune héros les glorieux exploits.
1105 Les Maures devant lui n'ont paru qu'à leur honte ;
Leur abord fut bien prompt, leur fuite encor plus
                                        [prompte ;
Trois heures de combat laissent à nos guerriers
Une victoire entière et deux rois prisonniers.
La valeur de leur chef ne trouvait point d'obstacles.

CHIMÈNE

1110 Et la main de Rodrigue a fait tous ces miracles ?

ELVIRE

De ses nobles efforts ces deux rois sont le prix ;
Sa main les a vaincus, et sa main les a pris.

CHIMÈNE

De qui peux-tu savoir ces nouvelles étranges ?

ELVIRE

Du peuple qui partout fait sonner ses louanges,
1115 Le nomme de sa joie et l'objet et l'auteur,
Son ange tutélaire et son libérateur.

CHIMÈNE

Et le roi, de quel œil voit-il tant de vaillance?

ELVIRE

Rodrigue n'ose paraître en sa présence;
Mais don Diègue ravi lui présente enchaînés,
1120 Au nom de ce vainqueur, ces captifs couronnés,
Et demande pour grâce à ce généreux prince
Qu'il daigne voir la main qui sauve la province.

CHIMÈNE

Mais n'est-il point blessé?

ELVIRE

Je n'en ai rien appris.
Vous changez de couleur! reprenez vos esprits.

CHIMÈNE

1125 Reprenons donc aussi ma colère affaiblie:
Pour avoir soin de lui faut-il que je m'oublie?
On le vante, on le loue, et mon cœur y consent!
Mon honneur est muet, mon devoir impuissant!
Silence, mon amour, laisse agir ma colère:
1130 S'il a vaincu deux rois, il a tué mon père;
Ces tristes vêtements, où je lis mon malheur,
Sont les premiers effets qu'ait produits sa valeur;
Et quoi qu'on die ailleurs d'un cœur si magnanime,
Ici tous les objets me parlent de son crime.
1135   Vous qui rendez la force à mes ressentiments,
Voiles, crêpes, habits, lugubres ornements,
Pompe que me prescrit sa première victoire,
Contre ma passion soutenez bien ma gloire;

Et lorsque mon amour prendra trop de pouvoir,
1140 Parlez à mon esprit de mon triste devoir,
Attaquez sans rien craindre une main triomphante.

ELVIRE

Modérez ces transports, voici venir l'infante.

SCÈNE II

L'INFANTE, CHIMÈNE, LÉONOR, ELVIRE

L'INFANTE

Je ne viens pas ici consoler tes douleurs ;
Je viens plutôt mêler mes soupirs à tes pleurs.

CHIMÈNE

1145 Prenez bien plutôt part à la commune joie,
Et goûtez le bonheur que le ciel vous envoie,
Madame, autre que moi n'a droit de soupirer.
Le péril dont Rodrigue a su nous retirer,
Et le salut public que vous rendent ses armes,
1150 A moi seule aujourd'hui souffrent encor les larmes :
Il a sauvé la ville, il a servi son roi ;
Et son bras valeureux n'est funeste qu'à moi.

L'INFANTE

Ma Chimène, il est vrai qu'il a fait des merveilles.

CHIMÈNE

Déjà ce bruit fâcheux a frappé mes oreilles ;
1155 Et je l'entends partout publier hautement
Aussi brave guerrier que malheureux amant.

L'INFANTE

Qu'a de fâcheux pour toi ce discours populaire ?
Ce jeune Mars qu'il loue a su jadis te plaire ;

Il possédait ton âme, il vivait sous tes lois ;
1160 Et vanter sa valeur, c'est honorer ton choix.

CHIMÈNE

Chacun peut la vanter avec quelque justice,
Mais pour moi sa louange est un nouveau supplice.
On aigrit ma douleur en l'élevant si haut :
Je vois ce que je perds quand je vois ce qu'il vaut.
1165 Ah ! cruels déplaisirs à l'esprit d'une amante !
Plus j'apprends son mérite, et plus mon feu s'augmente :
Cependant mon devoir est toujours le plus fort,
Et malgré mon amour va poursuivre sa mort.

L'INFANTE

Hier ce devoir te mit en une haute estime ;
1170 L'effort que tu te fis parut si magnanime,
Si digne d'un grand cœur, que chacun à la cour
Admirait ton courage et plaignait ton amour.
Mais croirais-tu l'avis d'une amitié fidèle ?

CHIMÈNE

Ne vous obéir pas me rendrait criminelle.

L'INFANTE

1175 Ce qui fut juste alors ne l'est plus aujourd'hui.
Rodrigue maintenant est notre unique appui,
L'espérance et l'amour d'un peuple qui l'adore,
Le soutien de Castille, et la terreur du More.
Le roi même est d'accord de cette vérité,
1180 Que ton père en lui seul se voit ressuscité ;
Et si tu veux enfin qu'en deux mots je m'explique,
Tu poursuis en sa mort la ruine publique.
Quoi ? pour venger un père est-il jamais permis
De livrer sa patrie aux mains des ennemis ?
1185 Contre nous ta poursuite est-elle légitime ?
Et pour être punis avons-nous part au crime ?
Ce n'est pas qu'après tout tu doives épouser
Celui qu'un père mort t'obligeait d'accuser :

Je te voudrais moi-même en arracher l'envie :
1190 Ote-lui ton amour, mais laisse-nous sa vie.

CHIMÈNE

Ah! ce n'est pas à moi d'avoir tant de bonté ;
Le devoir qui m'aigrit n'a rien de limité.
Quoique pour ce vainqueur mon amour s'intéresse,
Quoiqu'un peuple l'adore et qu'un roi le caresse,
1195 Qu'il soit environné des plus vaillants guerriers,
J'irai sous mes cyprès accabler ses lauriers.

L'INFANTE

C'est générosité quand, pour venger un père,
Notre devoir attaque une tête si chère ;
Mais c'en est une encor d'un plus illustre rang,
1200 Quand on donne au public les intérêts du sang.
Non, crois-moi, c'est assez que d'éteindre ta flamme[36] :
Il sera trop puni s'il n'est plus dans ton âme.
Que le bien du pays t'impose cette loi :
Aussi bien que crois-tu que t'accorde le roi?

CHIMÈNE

1205 Il peut me refuser, mais je ne puis me taire.

L'INFANTE

Pense bien, ma Chimène, à ce que tu veux faire.
Adieu : tu pourras seule y penser à loisir.

CHIMÈNE

Après mon père mort, je n'ai point à choisir.

SCÈNE III

D. Fernand, D. Diègue, D. Arias,
D. Rodrigue, D. Sanche

D. Fernand

Généreux héritier d'une illustre famille
1210 Qui fut toujours la gloire et l'appui de Castille,
Race de tant d'aïeux en valeur signalés,
Que l'essai de la tienne a sitôt égalés,
Pour te récompenser ma force est trop petite ;
Et j'ai moins de pouvoir que tu n'as de mérite.
1215 Le pays délivré d'un si rude ennemi,
Mon sceptre dans ma main par la tienne affermi,
Et les Maures défaits avant qu'en ces alarmes
J'eusse pu donner ordre à repousser leurs armes,
Ne sont point des exploits qui laissent à ton roi
1220 Le moyen ni l'espoir de s'acquitter vers toi.
Mais deux rois tes captifs feront ta récompense :
Ils t'ont nommé tous deux leur Cid en ma présence.
Puisque Cid en leur langue est autant que seigneur,
Je ne t'envirai pas ce beau titre d'honneur.
1225   Sois désormais le Cid ; qu'à ce grand nom tout cède ;
Qu'il comble d'épouvante et Grenade et Tolède,
Et qu'il marque à tous ceux qui vivent sous mes lois
Et ce que tu me vaux, et ce que je te dois.

D. Rodrigue

Que votre majesté, sire, épargne ma honte.
1230 D'un si faible service elle fait trop de conte,
Et me force à rougir devant un si grand roi
De mériter si peu l'honneur que j'en reçoi.
Je sais trop que je dois au bien de votre empire
Et le sang qui m'anime, et l'air que je respire ;
1235 Et quand je les perdrai pour un si digne objet,
Je ferai seulement le devoir d'un sujet.

D. Fernand

Tous ceux que ce devoir à mon service engage
Ne s'en acquittent pas avec même courage ;
Et lorsque la valeur ne va point dans l'excès,
1240 Elle ne produit point de si rares succès.
Souffre donc qu'on te loue, et de cette victoire
Apprends-moi plus au long la véritable histoire.

D. Rodrigue

Sire, vous avez su qu'en ce danger pressant,
Qui jeta dans la ville un effroi si puissant,
1245 Une troupe d'amis chez mon père assemblée
Sollicita mon âme encor toute troublée...
Mais, sire, pardonnez à ma témérité,
Si j'osai l'employer sans votre autorité :
Le péril approchait ; leur brigade était prête ;
1250 Me montrant à la cour, je hasardais ma tête[37].
Et s'il fallait la perdre, il m'était bien plus doux
De sortir de la vie en combattant pour vous.

D. Fernand

J'excuse ta chaleur à venger ton offense ;
Et l'État défendu me parle en ta défense :
1255 Crois que dorénavant Chimène a beau parler,
Je ne l'écoute plus que pour la consoler.
Mais poursuis.

D. Rodrigue

      Sous moi donc cette troupe s'avance,
Et porte sur le front une mâle assurance.
Nous partîmes cinq cents ; mais par un prompt renfort,
1260 Nous nous vîmes trois mille en arrivant au port,
Tant, à nous voir marcher avec un tel visage,
Les plus épouvantés reprenaient de courage !
J'en cache les deux tiers, aussitôt qu'arrivés,
Dans le fond des vaisseaux qui lors furent trouvés ;
1265 Le reste, dont le nombre augmentait à toute heure,
Brûlant d'impatience, autour de moi demeure,

Se couche contre terre, et sans faire aucun bruit
Passe une bonne part d'une si belle nuit.
Par mon commandement la garde en fait de même,
1270 Et se tenant cachée, aide à mon stratagème ;
Et je feins hardiment d'avoir reçu de vous
L'ordre qu'on me voit suivre et que je donne à tous.
      Cette obscure clarté qui tombe des étoiles
Enfin avec le flux nous fait voir trente voiles ;
1275 L'onde s'enfle dessous, et d'un commun effort
Les Maures et la mer montent jusques au port.
On les lisse passer ; tout leur paraît tranquille ;
Point de soldats au port, point aux murs de la ville.
Notre profond silence abusant leurs esprits,
1280 Ils n'osent plus douter de nous avoir surpris ;
Ils abordent sans peur, ils ancrent, ils descendent,
Et courent se livrer aux mains qui les attendent.
Nous nous levons alors, et tous en même temps
Poussons jusques au ciel mille cris éclatants.
1285 Les nôtres, à ces cris, de nos vaisseaux répondent ;
Ils paraissent armés, les Maures se confondent,
L'épouvante les prend à demi descendus ;
Avant que de combattre ils s'estiment perdus.
Ils couraient au pillage, et rencontrent la guerre ;
1290 Nous les pressons sur l'eau, nous les pressons sur terre,
Et nous faisons courir des ruisseaux de leur sang,
Avant qu'aucun résiste ou reprenne son rang.
Mais bientôt, malgré nous, leurs princes les rallient,
Leur courage renaît, et leurs terreurs s'oublient :
1295 La honte de mourir sans avoir combattu
Arrête leur désordre, et leur rend leur vertu.
Contre nous de pied ferme ils tirent leurs alfanges ;
De notre sang au leur font d'horribles mélanges.
Et la terre, et le fleuve, et leur flotte, et le port,
1300 Sont des champs de carnage où triomphe la mort.
      O combien d'actions, combien d'exploits célèbres
Sont demeurés sans gloire au milieu des ténèbres,
Où chacun, seul témoin des grands coups qu'il donnait,
Ne pouvait discerner où le sort inclinait !
1305 J'allais de tous côtés encourager les nôtres,
Faire avancer les uns et soutenir les autres,

Ranger ceux qui venaient, les pousser à leur tour,
Et ne l'ai pu savoir jusques au point du jour.
Mais enfin sa clarté montre notre avantage ;
1310 Le Maure voit sa perte, et perd soudain courage :
Et voyant un renfort qui nous vient secourir,
L'ardeur de vaincre cède à la peur de mourir.
Ils gagnent leurs vaisseaux, ils en coupent les chables,
Poussent jusques aux cieux des cris épouvantables,
1315 Font retraite en tumulte, et sans considérer
Si leurs rois avec eux peuvent se retirer.
Pour souffrir ce devoir leur frayeur est trop forte ;
Le flux les apporta, le reflux les remporte ;
Cependant que leurs rois, engagés parmi nous,
1320 Et quelque peu des leurs, tous percés de nos coups,
Disputent vaillamment et vendent bien leur vie.
A se rendre moi-même en vain je les convie :
Le cimeterre au poing ils ne m'écoutent pas ;
Mais voyant à leurs pieds tomber tous leurs soldats,
1325 Et que seuls désormais en vain ils se défendent,
Ils demandent le chef ; je me nomme, ils se rendent.
Je vous les envoyai tous deux en même temps ;
Et le combat cessa faute de combattants.
    C'est de cette façon que pour votre service...

SCÈNE IV

D. FERNAND, D. DIÈGUE, D. RODRIGUE, D. ARIAS,
D. ALONSE, D. SANCHE

D. ALONSE

1330
Sire, Chimène vient vous demander justice.

D. FERNAND

La fâcheuse nouvelle, et l'importun devoir !
Va, je ne la veux pas obliger à te voir.
Pour tous remerciements il faut que je te chasse :
Mais avant que sortir, viens, que ton roi t'embrasse.

D. Rodrigue rentre.

D. Dièrue

1335 Chimène le poursuit, et voudrait le sauver.

D. Fernand

On m'a dit qu'elle l'aime, et je vais l'éprouver.
Montrez un œil plus triste.

SCÈNE V

D. FERNAND, D. DIÈGUE, D. ARIAS, D. SANCHE
D. ALONSE, CHIMÈNE, ELVIRE

D. Fernand

          Enfin soyez contente,
Chimène, le succès répond à votre attente :
Si de nos ennemis Rodrigue a le dessus,
1340 Il est mort à nos yeux des coups qu'il a reçus[38] ;
Rendez grâces au ciel qui vous en a vengée.

A D. Diègue.

Voyez comme déjà sa couleur est changée.

D. Dièrue

Mais voyez qu'elle pâme, et d'un amour parfait,
Dans cette pâmoison, sire, admirez l'effet.
1345 Sa douleur a trahi les secrets de son âme,
Et ne vous permet plus de douter de sa flamme.

Chimène

Quoi ! Rodrigue est donc mort ?

D. Fernand

          Non, non, il voit le jour,
Et te conserve encore un immuable amour :
Calme cette douleur qui pour lui s'intéresse.

CHIMÈNE

1350 Sire, on pâme de joie, ainsi que de tristesse :
Un excès de plaisirs nous rend tout languissants ;
Et quand il surprend l'âme, il accable les sens.

D. FERNAND

Tu veux qu'en ta faveur nous croyions l'impossible ?
Chimène, ta douleur a paru trop visible.

CHIMÈNE

1355 Eh bien ! sire, ajoutez ce comble à mon malheur,
Nommez ma pâmoison l'effet de ma douleur :
Un juste déplaisir à ce point m'a réduite ;
Son trépas dérobait sa tête à ma poursuite ;
S'il meurt des coups reçus pour le bien du pays,
1360 Ma vengeance est perdue et mes desseins trahis :
Une si belle fin m'est trop injurieuse.
Je demande sa mort, mais non pas glorieuse,
Non pas dans un éclat qui l'élève si haut,
Non pas au lit d'honneur, mais sur un échafaud ;
1365 Qu'il meure pour mon père, et non pour la patrie ;
Que son nom soit taché, sa mémoire flétrie.
Mourir pour le pays n'est pas un triste sort ;
C'est s'immortaliser par une belle mort.
    J'aime donc sa victoire, et je le puis sans crime ;
1370 Elle assure l'État, et me rend ma victime,
Mais noble, mais fameuse entre tous les guerriers,
Le chef, au lieu de fleurs, couronné de lauriers ;
Et pour dire en un mot ce que j'en considère,
Digne d'être immolée aux mânes de mon père...
1375   Hélas ! à quel espoir me lassé-je emporter !
Rodrigue de ma part n'a rien à redouter ;
Que pourraient contre lui des larmes qu'on méprise ?
Pour lui tout votre empire est un lieu de franchise ;
Là, sous votre pouvoir, tout lui devient permis ;
1380 Il triomphe de moi comme des ennemis,
Dans leur sang répandu la justice étouffée
Aux crimes du vainqueur sert d'un nouveau trophée ;
Nous en croissons la pompe, et le mépris des lois

Nous fait suivre son char au milieu de deux rois.

D. Fernand

Ma fille, ces transports ont trop de violence.
Quand on rend la justice on met tout en balance :
On a tué ton père, il était l'agresseur ;
1390 Et la même équité m'ordonne la douceur.
Avant que d'accuser ce que j'en fais paraître,
Consulte bien ton cœur : Rodrigue en est le maître.
Et ta flamme en secret rend grâces à ton roi,
Dont la faveur conserve un tel amant pour toi.

Chimène

1395 Pour moi ! mon ennemi ! l'objet de ma colère !
L'auteur de mes malheurs ! l'assassin de mon père !
De ma juste poursuite on fait si peu de cas
Qu'on me croit obliger en ne m'écoutant pas !
    Puisque vous refusez la justice à mes larmes,
1400 Sire, permettez-moi de recourir aux armes ;
C'est par là seulement qu'il a su m'outrager,
Et c'est aussi par là que je me dois venger.
A tous vos cavaliers je demande sa tête ;
Oui, qu'un d'eux me l'apporte, et je suis sa conquête ;
1405 Qu'ils le combattent, sire ; et le combat fini,
J'épouse le vainqueur, si Rodrigue est puni.
Sous votre autorité souffrez qu'on le publie.

D. Fernand

Cette vieille coutume en ces lieux établie,
Sous couleur de punir un injuste attentat,
1410 Des meilleurs combattants affaiblit un État ;
Souvent de cet abus le succès déplorable
Opprime l'innocent et soutient le coupable[39].
J'en dispense Rodrigue ; il m'est trop précieux
Pour l'exposer aux coups d'un sort capricieux ;
Et quoi qu'ait pu commettre un cœur si magnanime,
Les Maures en fuyant ont emporté son crime.

D. Diègue

1415 Quoi! sire, pour lui seul vous renversez des lois
Qu'a vu toute la cour observer tant de fois!
Que croira votre peuple, et que dira l'envie,
Si sous votre défense il ménage sa vie,
Et s'en fait un prétexte à ne paraître pas
1420 Où tous les gens d'honneur cherchent un beau trépas?
De pareilles faveurs terniraient trop sa gloire:
Qu'il goûte sans rougir les fruits de sa victoire.
Le comte eut de l'audace, il l'en a su punir:
Il l'a fait en brave homme, et le doit maintenir.

D. Fernand

1425 Puisque vous le voulez, j'accorde qu'il le fasse:
Mais d'un guerrier vaincu mille prendraient la place,
Et le prix que Chimène au vainqueur a promis
De tous mes cavaliers feraient ses ennemis:
L'opposer seul à tous serait trop d'injustice;
1430 Il suffit qu'une fois il entre dans la lice.
    Choisis qui tu voudras, Chimène, et choisis bien;
Mais après ce combat ne demande plus rien.

D. Diègue

N'excusez point par là ceux que son bras étonne;
Laissez un champ ouvert où n'entrera personne.
1435 Après ce que Rodrigue a fait voir aujourd'hui,
Quel courage assez vain s'oserait prendre à lui?
Qui se hasarderait contre un tel adversaire?
Qui serait ce vaillant, ou bien ce téméraire?

D. Sanche

Faites ouvrir le champ: vous voyez l'assaillant;
1440 Je suis ce téméraire, ou plutôt ce vaillant.
    Accordez cette grâce à l'ardeur qui me presse.
Madame, vous savez quelle est votre promesse.

D. Fernand

Chimène, remets-tu ta querelle en sa main?

CHIMÈNE

Sire, je l'ai promis.

D. FERNAND

Soyez prêt à demain.

D. DIÈGUE

1445 Non, sire, il ne faut pas différer davantage :
On est toujours trop prêt quand on a du courage.

D. FERNAND

Sortir d'une bataille, et combattre à l'instant !

D. DIÈGUE

Rodrigue a pris haleine en vous la racontant.

D. FERNAND

Du moins une heure ou deux je veux qu'il se délasse ;
1450 Mais de peur qu'en exemple un tel combat ne passe,
Pour témoigner à tous qu'à regret je promets
Un sanglant procédé qui ne me plut jamais,
De moi ni de ma cour il n'aura la présence.

Il parle à D. Arias.

Vous seul des combattants jugerez la vaillance.
1455 Ayez soin que tous deux fassent en gens de cœur,
Et, le combat fini, m'amenez le vainqueur.
Qui qu'il soit, même prix est acquis à sa peine ;
Je le veux de ma main présenter à Chimène,
Et que pour récompense il reçoive sa foi.

CHIMÈNE

1460 Quoi ! sire, m'imposer une si dure loi !

D. FERNAND

Tu t'en plains ; mais ton feu, loin d'avouer ta plainte,
Si Rodrigue est vainqueur, l'accepte sans contrainte.

Cesse de murmurer contre un arrêt si doux;
Qui que ce soit des deux, j'en ferai ton époux.

ACTE V

SCÈNE PREMIÈRE

D. RODRIGUE, CHIMÈNE

CHIMÈNE

1465 Quoi! Rodrigue, en plein jour! d'où te vient cette
[audace[40]?
Va, tu me perds d'honneur; retire-toi, de grâce.

D. RODRIGUE

Je vais mourir, madame, et vous viens en ce lieu,
Avant le coup mortel, dire un dernier adieu :
Cet immuable amour qui sous vos lois m'engage
1470 N'ose accepter ma mort sans vous en faire hommage.

CHIMÈNE

Tu vas mourir!

D. RODRIGUE

Je cours à ces heureux moments
Qui vont livrer ma vie à vos ressentiments.

CHIMÈNE

Tu vas mourir! Don Sanche est-il si redoutable
Qu'il donne l'épouvante à ce cœur indomptable?
1475 Qui t'a rendu si faible? ou qui le rend si fort?
Rodrigue va combattre, et se croit déjà mort!
Celui qui n'a pas craint les Maures, ni mon père,
Va combattre don Sanche, et déjà désespère!

Ainsi donc au besoin ton courage s'abat?

1480
D. Rodrigue

Je cours à mon supplice, et non pas au combat;
Et ma fidèle ardeur sait bien m'ôter l'envie,
Quand vous cherchez ma mort, de défendre ma vie.
1485   J'ai toujours même cœur; mais je n'ai point de bras
Quand il faut conserver ce qui ne vous plaît pas;
Et déjà cette nuit m'aurait été mortelle,
Si j'eusse combattu pour ma seule querelle;
Mais défendant mon roi, son peuple et mon pays,
1490 A me défendre mal je les aurais trahis.
Mon esprit généreux ne hait pas tant la vie,
Qu'il en veuille sorti par une perfidie.
Maintenant qu'il s'agit de mon seul intérêt,
Vous demandez ma mort, j'en accepte l'arrêt,
1495 Votre ressentiment choisit la main d'un autre
(Je ne méritais pas de mourir de la vôtre):
On ne me verra point en repousser les coups;
Je dois plus de respect à qui combat pour vous,
Et ravi de penser que c'est de vous qu'ils viennent,
1500 Puisque c'est votre honneur que ses armes soutiennent
Je vais lui présenter mon estomac ouvert,
Adorant en sa main la vôtre qui me perd.

Chimène

Si d'un triste devoir la juste violence,
Qui me fait malgré moi poursuivre ta vaillance,
1505 Prescrit à ton amour une si forte loi
Qu'il te rend sans défense à qui combat pour moi,
En cet aveuglement ne perds pas la mémoire
Qu'ainsi que de ta vie il y va de ta gloire,
Et que, dans quelque éclat que Rodrigue ait vécu,
1510 Quand on le saura mort, on le croira vaincu.
   Ton honneur t'est plus cher que je ne te suis chère,
Puisqu'il trempe tes mains dans le sang de mon père,
Et te fait renoncer, malgré ta passion,
A l'espoir le plus doux de ma possession:
Je t'en vois cependant faire si peu de conte,

Que sans rendre combat tu veux qu'on te surmonte.
1515 Quelle inégalité ravale ta vertu ?
Pourquoi ne l'as-tu plus ? ou pourquoi l'avais-tu ?
Quoi ! n'es-tu généreux que pour me faire outrage ?
S'il ne faut m'offenser, n'as-tu point de courage ?
Et traites-tu mon père avec tant de rigueur,
1520 Qu'après l'avoir vaincu tu souffres un vainqueur ?
Va, sans vouloir mourir, laisse-moi te poursuivre,
Et défends ton honneur, si tu veux ne plus vivre.

D. RODRIGUE

Après la mort du comte, et les Maures défaits,
Faudrait-il à ma gloire encore d'autres effets ?
1525 Elle peut dédaigner le soin de me défendre ;
On sait que mon courage ose tout entreprendre,
Que ma valeur peut tout, et que dessous les cieux,
Auprès de mon honneur, rien ne m'est précieux.
Non, non, en ce combat, quoi que vous veuillez croire,
1530 Rodrigue peut mourir sans hasarder sa gloire,
Sans qu'on l'ose accuser d'avoir manqué de cœur,
Sans passer pour vaincu, sans souffrir un vainqueur.
On dira seulement : « Il adorait Chimène ;
Il n'a pas voulu vivre et mériter sa haine ;
1535 Il a cédé lui-même à la rigueur du sort
Qui forçait sa maîtresse à poursuivre sa mort :
Elle voulait sa tête ; et son cœur magnanime,
S'il l'en eût refusée, eût pensé faire un crime.
Pour venger son honneur il perdit son amour,
1540 Pour venger sa maîtresse il a quitté le jour,
Préférant (quelque espoir qu'eût son âme asservie)
Son honneur à Chimène, et Chimène à sa vie[41]. »
Ainsi donc vous verrez ma mort en ce combat,
Loin d'obscurcir ma gloire, en rehausser l'éclat ;
1545 Et cet honneur suivra mon trépas volontaire,
Que tout autre que moi n'eût pu vous satisfaire.

CHIMÈNE

Puisque, pour t'empêcher de courir au trépas,
Ta vie et ton honneur sont de faibles appas,

Si jamais je t'aimai, cher Rodrigue, en revanche,
1550 Défends-toi maintenant pour m'ôter à don Sanche;
Combats pour m'affranchir d'une condition
Qui me donne à l'objet de mon aversion.
Te dirai-je encor plus? va, songe à ta défense,
Pour forcer mon devoir, pour m'imposer silence;
1555 Et si tu sens pour moi ton cœur encore épris,
Sors vainqueur d'un combat dont Chimène est le prix.
Adieu : ce mot lâché me fait rougir de honte.

D. Rodrigue

Est-il quelque ennemi qu'à présent je ne dompte?
Paraissez, Navarrais, Maures et Castillans,
1560 Et tout ce que l'Espagne a nourri de vaillants;
Unissez-vous ensemble, et faites une armée,
Pour combattre une main de la sorte animée :
Joignez tous vos efforts contre un espoir si doux;
Pour en venir à bout, c'est trop peu que de vous.

SCÈNE II

L'INFANTE

1565 T'écouterai-je encor, respect de ma naissance,
        Qui fais un crime de mes feux?
T'écouterai-je, amour, dont la douce puissance
Contre ce fier tyran fait révolter mes vœux?
        Pauvre princesse, auquel des deux
1570   Dois-tu prêter obéissance?
Rodrigue, ta valeur te rend digne de moi;
Mais, pour être vaillant, tu n'es pas fils de roi.

Impitoyable sort, dont la rigueur sépare
        Ma gloire d'avec mes désirs,
1575 Est-il dit que le choix d'une vertu si rare
Coûte à ma passion de si grands déplaisirs?
        O cieux! à combien de soupirs
        Faut-il que mon cœur se prépare,
Si jamais il n'obtient sur un si long tourment

1580 Ni d'éteindre l'amour, ni d'accepter l'amant?

Mais c'est trop de scrupule, et ma raison s'étonne
    Du mépris d'un si digne choix :
1585 Bien qu'aux monarques seuls ma naissance me donne,
Rodrigue, avec honneur je vivrai sous tes lois.
    Après avoir vaincu deux rois,
    Pourrais-tu manquer de couronne?
Et ce grand nom de Cid que tu viens de gagner
Ne fait-il pas trop voir sur qui tu dois régner?
1590

Il est digne de moi, mais il est à Chimène;
    Le don que j'en ai fait me nuit.
Entre eux la mort d'un père a si peu mis de haine,
Que le devoir du sang à regret le poursuit :
1595   Ainsi n'espérons aucun fruit
    De son crime, ni de ma peine,
Puisque pour me punir le destin a permis
Que l'amour dure même entre deux ennemis.

SCÈNE III

L'INFANTE, LÉONOR

L'Infante

Où viens-tu, Léonor?

Léonor

          Vous applaudir, madame,
Sur le repos qu'enfin a retrouvé votre âme.

L'Infante

D'où viendrait ce repos dans un comble d'ennui?

1600
Léonor

Si l'amour vit d'espoir, et s'il meurt avec lui,
Rodrigue ne peut plus charmer votre courage.

Vous savez le combat où Chimène l'engage ;
Puisqu'il faut qu'il y meure, ou qu'il soit son mari,
Votre espérance est morte, et votre esprit guéri.

L'Infante

1605 Ah ! qu'il s'en faut encor !

Léonor

Que pouvez-vous prétendre ?

L'Infante

Mais plutôt quel espoir me pourrais-tu défendre ?
Si Rodrigue combat sous ces conditions,
Pour en rompre l'effet j'ai trop d'inventions.
L'amour, ce doux auteur de mes cruels supplices,
1610 Aux esprits des amants apprend trop d'artifices.

Léonor

Pourrez-vous quelque chose, après qu'un père mort
N'a pu dans leurs esprits allumer de discord ?
Car Chimère aisément montre, par sa conduite,
Que la haine aujourd'hui ne fait pas sa poursuite.
1615 Elle obtient un combat, et pour son combattant
C'est le premier offert qu'elle accepte à l'instant :
Elle n'a point recours à ces mains généreuses
Que tant d'exploits fameux rendent si glorieuses ;
Don Sanche lui suffit, et mérite son choix
1620 Parce qu'il va s'armer pour la première fois ;
Elle aime en ce duel son peu d'expérience ;
Comme il est sans renom, elle est sans défiance ;
Et sa facilité vous doit bien faire voir
Qu'elle cherche un combat qui force son devoir,
1625 Qui livre à son Rodrigue une victoire aisée,
Et l'autorise enfin à paraître apaisée.

L'Infante

Je le remarque assez, et toutefois mon cœur
A l'envi de Chimène adore ce vainqueur.

A quoi me résoudrai-je, amante infortunée?

1630
LÉONOR

A vous mieux souvenir de qui vous êtes née;
Le ciel vous doit un roi, vous aimez un sujet!

L'INFANTE

Mon inclination a bien changé d'objet.
1635 Je n'aime plus Rodrigue, un simple gentilhomme;
Non, ce n'est plus ainsi que mon amour le nomme;
Si j'aime, c'est l'auteur de tant de beaux exploits,
C'est le valeureux Cid, le maître de deux rois.
     Je me vaincrai pourtant, non de peur d'aucun blâme,
1640 Mais pour ne troubler pas une si belle flamme;
Et quand pour m'obliger on l'aurait couronné,
Je ne veux point reprendre un bien que j'ai donné.
Puisqu'en tel combat sa victoire est certaine,
Allons encore un coup le donner à Chimène.
Et toi, qui vois les traits dont mon cœur est percé,
Viens me voir achever comme j'ai commencé.

SCÈNE IV

CHIMÈNE, ELVIRE

1645
CHIMÈNE

Elvire, que je souffre! et que je suis à plaindre!
Je ne sais qu'espérer; et je vois tout à craindre;
Aucun vœu ne m'échappe où j'ose consentir;
1650 Je ne souhaite rien sans un prompt repentir.
A deux rivaux pour moi je fais prendre les armes:
Le plus heureux succès me coûtera des larmes;
Et quoi qu'en ma faveur en ordonne le sort,
Mon père est sans vengeance, ou mon amant est mort.

ELVIRE

D'un et d'autre côté, je vous vois soulagée:

Ou vous avez Rodrigue, ou vous êtes vengée;
1655 Et quoi que le destin puisse ordonner de vous,
Il soutient votre gloire, et vous donne un époux.

CHIMÈNE

Quoi! l'objet de ma haine, ou de tant de colère!
L'assassin de Rodrigue, ou celui de mon père!
De tous les deux côtés on me donne un mari
1660 Encor tout teint du sang que j'ai le plus chéri;
De tous les deux côtés mon âme se rebelle :
Je crains plus que la mort la fin de ma querelle.
Allez, vengeance, amour, qui troublez mes esprits,
Vous n'avez point pour moi de douceurs à ce prix;
1665 Et toi, puissant moteur du destin qui m'outrage,
Termine ce combat sans aucun avantage,
Sans faire aucun des deux ni vaincu ni vainqueur.

ELVIRE

Ce serait vous traiter avec trop de rigueur.
Ce combat pour votre âme est un nouveau supplice,
1670 S'il vous laisse obligée à demander justice,
A témoigner toujours ce haut ressentiment,
Et poursuivre toujours la mort de votre amant.
Madame, il vaut bien mieux que sa rare vaillance,
Lui couronnant le front, vous impose silence;
1675 Que la loi du combat étouffe vos soupirs,
Et que le roi vous force à suivre vos désirs.

CHIMÈNE

Quand il sera vainqueur, crois-tu que je me rende?
Mon devoir est trop fort, et ma perte est trop grande;
Et ce n'est pas assez, pour leur faire la loi,
1680 Que celle du combat et le vouloir du roi.
Il peut vaincre don Sanche avec fort peu de peine,
Mais non pas avec lui la gloire de Chimène;
Et quoi qu'à sa victoire un monarque ait promis,
Mon honneur lui fera mille autres ennemis.

ELVIRE

1685 Gardez, pour vous punir de cet orgueil étrange,
Que le ciel à la fin ne souffre qu'on vous venge.
Quoi! vous voulez encor refuser le bonheur
De pouvoir maintenant vous taire avec honneur?
Que prétend ce devoir, et qu'est-ce qu'il espère?
1690 La mort de votre amant vous rendra-t-elle un père?
Est-ce trop peu pour vous que d'un coup de malheur?
Faut-il perte sur perte, et douleur sur douleur?
Allez, dans le caprice où votre humeur s'obstine,
Vous ne méritez pas l'amant qu'on vous destine;
1695 Et nous verrons du ciel l'équitable courroux
Vous laisser, par sa mort, don Sanche pour époux.

CHIMÈNE

Elvire, c'est assez des peines que j'endure,
Ne les redouble point de ce funeste augure.
Je veux, si je le puis, les éviter tous deux;
1700 Sinon, en ce combat Rodrigue a tous mes vœux:
Non qu'une folle ardeur de son côté me penche;
Mais, s'il était vaincu, je serais à don Sanche.
Cette appréhension fait naître mon souhait...
Que vois-je, malheureuse? Elvire, c'en est fait.

SCÈNE V

D. SANCHE, CHIMÈNE, ELVIRE

D. SANCHE

1705 Obligé d'apporter à vos pieds cette épée...

CHIMÈNE

Quoi! du sang de Rodrigue encor toute trempée?
Perfide, oses-tu bien te montrer à mes yeux,
Après m'avoir ôté ce que j'aimais le mieux?
Eclate, mon amour, tu n'as plus rien à craindre:
1710 Mon père est satisfait, cesse de te contraindre;

Un même coup a mis ma gloire en sûreté,
Mon âme au désespoir, ma flamme en liberté.

D. Sanche

D'un esprit plus rassis...

Chimène

                    Tu me parles encore,
Exécrable assassin d'un héros que j'adore !
1715 Va, tu l'as pris en traître ; un guerrier si vaillant
N'eût jamais succombé sous un tel assaillant.
N'espère rien de moi, tu ne m'as point servie !
En croyant me venger, tu m'as ôté la vie[42].

D. Sanche

Etrange impression, qui, loin de m'écouter...

Chimène

1720 Veux-tu que de sa mort je t'écoute vanter,
Que j'entende à loisir avec quelle insolence
Tu peindras son malheur, mon crime et ta vaillance ?

SCÈNE VI

D. FERNAND, D. DIÈGUE, D. ARIAS, D. SANCHE,
D. ALONSE, CHIMÈNE, ELVIRE

Chimène

Sire, il n'est plus besoin de vous dissimuler
Ce que tous mes efforts ne vous ont pu celer.
1725 J'aimais, vous l'avez su ; mais, pour venger mon père,
J'ai bien voulu proscrire une tête si chère :
Votre majesté, sire, elle-même a pu voir
Comme j'ai fait céder mon amour au devoir.
Enfin Rodrigue est mort, et sa mort m'a changée
1730 D'implacable ennemie en amante affligée.

J'ai dû cette vengeance à qui m'a mise au jour,
Et je dois maintenant ces pleurs à mon amour.
Don Sanche m'a perdue en prenant ma défense,
Et du bras qui me perd je suis la récompense !
1735   Sire, si la pitié peut émouvoir un roi,
De grâce, révoquez une si dure loi ;
Pour prix d'une victoire où je perds ce que j'aime,
Je lui laisse mon bien ; qu'il me laisse à moi-même ;
Qu'en un cloître sacré je pleure incessamment,
1740 Jusqu'au dernier soupir, mon père et mon amant.

D. Diègue

Enfin elle aime, sire, et ne croit plus un crime
D'avouer par sa bouche un amour légitime.

D. Fernand

Chimène, sors d'erreur, ton amant n'est pas mort,
Et don Sanche vaincu t'a fait un faux rapport.

D. Sanche

1745 Sire, un peu trop d'ardeur, malgré moi l'a déçue :
Je venais du combat lui raconter l'issue.
Ce généreux guerrier, dont son cœur est charmé,
« Ne crains rien, m'a-t-il dit, quand il m'a désarmé :
Je laisserais plutôt la victoire incertaine,
1750 Que de répandre un sang hasardé pour Chimène ;
Mais puisque mon devoir m'appelle auprès du roi,
Va de notre combat l'entretenir pour moi,
De la part du vainqueur lui porter ton épée. »
Sire, j'y suis venu : cet objet l'a trompée ;
1755 Elle m'a cru vainqueur, me voyant de retour,
Et soudain sa colère a trahi son amour
Avec tant de transport et tant d'impatience,
Que je n'ai pu gagner un moment d'audience.
  Pour moi, bien que vaincu, je me répute heureux ;
1760 Et malgré l'intérêt de mon cœur amoureux,
Perdant infiniment j'aime encor ma défaite,
Qui fait le beau succès d'une amour si parfaite.

D. Fernand

Ma fille, il ne faut point rougir d'un si beau feu,
Ni chercher les moyens d'en faire un désaveu;
1765 Une louable honte en vain t'en sollicite;
Ta gloire est dégagée, et ton devoir est quitte;
Ton père est satisfait, et c'était le venger
Que mettre tant de fois ton Rodrigue en danger.
Tu vois comme le ciel autrement en dispose.
1770 Ayant tant fait pour lui, fais pour toi quelque chose,
Et ne sois point rebelle à mon commandement,
Qui te donne un époux aimé si chèrement.

SCÈNE VII

D. FERNAND, D. DIÈGUE, D. ARIAS, D. RODRIGUE,
D. ALONSE, D. SANCHE, L'INFANTE, CHIMÈNE,
LÉONOR, ELVIRE

L'Infante

Sèche tes pleurs, Chimène, et reçois sans tristesse
Ce généreux vainqueur des mains de ta princesse.

D. Rodrigue

1775 Ne vous offensez point, sire, si devant vous
Un respect amoureux me jette à ses genoux.
    Je ne viens point ici demander ma conquête :
Je viens tout de nouveau vous apporter ma tête,
Madame; mon amour n'emploiera point pour moi
1780 Ni la loi du combat, ni le vouloir du roi.
Si tout ce qui s'est fait est trop peu pour un père,
Dites par quels moyens il vous faut satisfaire.
Faut-il combattre encor mille et mille rivaux,
Aux deux bouts de la terre étendre mes travaux,
1785 Forcer moi seul un camp, mettre en fuite une armée,
Des héros fabuleux passer la renommée?
Si mon crime par là se peut enfin laver,
J'ose tout entreprendre, et puis tout achever :

Mais si ce fier honneur, toujours inexorable,
1790 Ne se peut apaiser sans la mort du coupable,
N'armez plus contre moi le pouvoir des humains :
Ma tête est à vos pieds, vengez-vous par vos mains ;
Vos mains seules ont droit de vaincre un invincible ;
Prenez une vengeance à tout autre impossible ;
1795 Mais du moins que ma mort suffise à me punir.
Ne me bannissez point de votre souvenir ;
Et, puisque mon trépas conserve votre gloire,
Pour vous en revanche conservez ma mémoire,
Et dites quelquefois, en déplorant mon sort :
1800 « S'il ne m'avait aimée, il ne serait pas mort. »

CHIMÈNE

Relève-toi, Rodrigue. Il faut l'avouer, sire,
Je vous en ai trop dit pour m'en pouvoir dédire.
Rodrigue a des vertus que je ne puis haïr :
Et quand un roi commande, on lui doit obéir.
1805 Mais, à quoi que déjà vous m'ayez condamnée,
Pourrez-vous à vos yeux souffrir cet hyménée ?
Et quand de mon devoir vous voulez cet effort,
Toute votre justice en est-elle d'accord ?
Si Rodrigue à l'État devient si nécessaire,
1810 De ce qu'il fait pour vous dois-je être le salaire,
Et me livrer moi-même au reproche éternel
D'avoir trempé mes mains dans le sang paternel ?

D. FERNAND

Le temps assez souvent a rendu légitime
Ce qui semblait d'abord ne se pouvoir sans crime.
1815 Rodrigue t'a gagnée, et tu dois être à lui.
Mais, quoique sa valeur t'ait conquise aujourd'hui,
Il faudrait que je fusse ennemi de ta gloire
Pour lui donner sitôt le prix de sa victoire.
Cet hymen différé ne rompt point une loi
1820 Qui, sans marquer de temps, lui destine ta foi.
Prends un an, si tu veux, pour essuyer tes larmes[43].
    Rodrigue, cependant il faut prendre les armes.
Après avoir vaincu les Maures sur nos bords,

Renversé leurs desseins, repoussé leurs efforts,
1825 Va jusqu'en leur pays leur reporter la guerre,
Commander mon armée et ravager leur terre.
A ce nom seul de Cid ils trembleront d'effroi ;
Ils t'ont nommé seigneur, et te voudront pour roi.
Mais parmi tes hauts faits sois-lui toujours fidèle ;
1830 Reviens-en, s'il se peut, encor plus digne d'elle ;
Et par tes grands exploits fais-toi si bien priser,
Qu'il lui soit glorieux alors de t'épouser.

D. Rodrigue

Pour posséder Chimène, et pour votre service,
Que peut-on m'ordonner que mon bras n'accomplisse ?

Texte de 1637

Sire, quelle apparence, à ce triste hyménée,
Qu'un même jour commence et finisse mon deuil,
Mette en mon lit Rodrigue et mon père au cercueil ?
C'est trop d'intelligence avec son homicide,
Vers ses mânes sacrés c'est me rendre perfide,
Et souiller mon honneur d'un reproche éternel.

1835 Quoi qu'absent de ses yeux il me faille endurer,
Sire, ce m'est trop d'heur de pouvoir espérer.

D. Fernand

Espère en ton courage, espère en ma promesse ;
Et possédant déjà le cœur de ta maîtresse,
Pour vaincre un point d'honneur qui combat contre toi,
1840 Laisse faire le temps, ta vaillance et ton roi.

NOTES

LE CID

1. Marie-Madeleine de Vignerot, veuve du marquis du Roure de Combalet, tué en 1621 devant Montauban, était fille de Françoise du Plessis, sœur du cardinal de Richelieu. Son oncle lui fit obtenir la charge de dame d'honneur de la reine, puis, en 1638, acheta pour elle le duché-pairie d'Aiguillon. Par cette dédicace Corneille faisait indirectement hommage de sa pièce à Richelieu, puisque sa nièce était intimement associée à sa pensée et à sa fortune : en 1643, lors de la réaction contre sa politique, elle quitta Paris ne s'y croyant plus en sécurité.

2. Cet Avertissement est joint pour la première fois à l'édition de 1648. C'est une défense du *Cid* contre les critiques de Scudéry et des doctes.

3. Corneille donne en tête une traduction de l'histoire en latin de Mariana qui authentifie le mariage de Chimène avec Rodrigue. Traduction : — Il avait eu peu de jours auparavant un duel avec don Gomez, comte de Gormas. Il le vainquit et lui donna la mort. Le résultat de cet événement fut qu'il se maria avec dona Chimène, fille et héritière de ce seigneur. Elle-même demanda au roi qu'il le lui donnât pour mari (car elle était fort éprise de ses qualités) ou qu'il le chatiât conformément aux lois, pour avoir donné la mort à son père. Ce mariage, qui agréait à tous, s'accomplit ; ainsi, grâce à la dot considérable de son épouse, qui s'ajouta aux biens qu'il possédait de son père, il grandit en pouvoir et en richesses (Marty-Laveaux).

4. Dans sa *Lettre à l'Académie*, Scudéry écrit : « cette fille, mais plutôt ce monstre ». Critique reprise dans les *Sentiments de l'Académie* : « au moins ne peut-on nier qu'elle ne soit, contre la bienséance de son sexe, amante trop sensible et fille trop dénaturée ».

5. Traduction : Si le monde a raison de dire que ce qui éprouve le mérite d'une femme c'est d'avoir des désirs à vaincre,

des occasions à rejeter, je n'aurais ici qu'à exprimer ce que je sens : mon honneur n'en deviendrait que plus éclatant. Mais une malignité qui se prévaut de notions d'honneur mal entendues convertit volontiers en un aveu de faute ce qui n'est que la tentation vaincue. Dès lors la femme qui désire et qui résiste également vaincra deux fois, si en résistant elle sait encore se taire (Marty-Laveaux).

6. Le cardinal de Richelieu avait été séduit par l'idée de faire arbitrer par l'Académie, récemment créée, la querelle entre Scudéry et Corneille. Mais il fallait le consentement de celui-ci. Ayant craint de mécontenter le cardinal, il fit une réponse ambiguë, que Boisrobert s'empressa de prendre pour un consentement.

7. Elle les concerne inévitablement. « Il n'est point vraisemblable, écrivait Scudéry, qu'une fille d'honneur épouse le meurtrier de son père. » La vraisemblance dans une œuvre littéraire, comme la raison d'ailleurs, se définit à partir d'une idée de la morale. Et c'est bien ainsi quel'entendait Richelieu. *Politique*, à la fin de la phrase, a le sens de calcul intéressé.

8. Traduction :

Première romance.

« Par-devant le roi de Léon, un soir se présente dona Chimène, demandant justice pour la mort de son père. » Elle demande justice contre le Cid, don Rodrigue de Bivar, qui l'a rendue orpheline dès son enfance, quand elle comptait encore bien peu d'années. « Si j'ai raison d'agir ainsi, ô Roi, tu le comprends, tu le sais bien : les devoirs de l'honneur ne se laissent point méconnaître.

« Chaque jour que le matin ramène, je vois celui qui s'est repu comme un loup de mon sang, passer pour renouveler mes chagrins, chevauchant sur un destrier.

« Ordonne-lui, bon roi, car tu le peux, de ne plus aller et venir par la rue que j'habite : un homme de valeur n'exerce pas sa vengeance contre une femme.

« Si mon père fit affront au sien, il l'a bien vengé, et si la mort a payé le prix de l'honneur, que cela suffise à le tenir quitte.

« J'appartiens à ta tutelle, ne permets pas que l'on m'offense. L'offense qu'on peut me faire s'adresse à ta couronne.

« — Taisez-vous, dona Chimène ; vous m'affligez vivement. Mais je saurai bien remédier à toutes vos peines.

« Je ne saurais faire du mal au Cid ; car c'est un homme de grande valeur, il est le défenseur de mes royaumes et je veux qu'il me les conserve.

« Mais je ferai avec lui un accommodement dont vous ne vous trouverez point mal : c'est de prendre sa parole pour qu'il se marie avec vous.

« Chimène demeure satisfaite, agréant cette merci du Roi, qui lui destine pour protecteur celui qui l'a faite orpheline. »

Seconde romance.

« De Rodrigue et de Chimène le Roi prit la parole et la main, afin de les unir ensemble en présence de Layn Calvo.

« Les inimitiés anciennes furent réconciliées par l'amour, car où préside l'amour, bien des torts s'oublient...

« Les fiancés arrivèrent ensemble et au moment de donner la main et le baiser, le Cid, regardant la mariée, lui dit tout troublé :

« — J'ai tué ton père, Chimène, mais non en trahison, je l'ai tué d'homme à homme, pour venger une réelle injure.

« — J'ai tué un homme, et je te donne un homme : me voici pour faire droit à ton grief, et au lieu du père mort tu reçois un époux honoré.

« Cela parut bien à tous : ils louèrent son prudent propos, et ainsi se firent les noces de Rodrigue le Castillan. » (Marty-Laveaux.)

9. Inexact pour *Le Cid* de 1637, cf. variantes.

10. Sur l'Infante dans le *Discours du Poème dramatique*. Sur le Roi dans l'*Examen de Clitandre*.

11. Cf. Scudéry : « Quand deux grands ont querelle et que l'un est offensé à l'honneur, ce sont des oiseaux qu'on ne laisse pas aller sur leur foi ; le prince leur donne des gardes à tous deux, qui leur répondent de leurs personnes et qui ne souffriraient pas que le fils de l'un vînt faire appel à l'autre. »

12. Dans le *Discours du Poème dramatique*.

13. Horace, *Art poétique*, vers 44 et 45 ; et vers 148. Traduction :
— Que l'auteur ayant à faire un poème préfère ceci, rejette cela. Qu'il néglige la foule des détails.
— Qu'il se hâte toujours vers le dénouement.

14. Don Fernand, premier roi de Castille, mort en 1075. Il avait deux filles :dona Urraca et dona Elvira.

15. Dans l'édition de 1644 et les suivantes la pièce devient tragédie.

16. En 1637, la pièce débutait par un dialogue entre Elvire et le comte, première scène, suivi de l'entretien entre Elvire et Chimène. Comme Corneille le remarque à la fin de son *Examen*, « ce qu'on expose à la vue touche bien plus que ce qu'on n'apprend que par un récit » : les propos orgueilleux du comte annonçaient mieux son caractère, ce qui provoquait la « suspension d'esprit » du spectateur, c'est-à-dire son attente anxieuse, au début de son entretien avec don Diègue. De plus, cela convenait à la technique appelée aujourd'hui précinématographique — on peut dire aussi shakespearienne — de cet allègre premier acte. Mais rien n'était plus contraire à la règle de l'unité de lieu,

qui s'impose après 1640. Elvire dans la maison du Comte, puis dans la maison de Chimène ; l'Infante dans son appartement au palais ; don Diègue et le Comte au sortir de la salle du trône ; puis don Diègue allant rejoindre Rodrigue dans sa maison : en formant une seule scène des deux premières, Corneille a voulu réduire le nombre de ces changements de lieu, et mieux assurer la liaison entre les scènes.

17. 1637 : « Va-t'en trouver Chimène et lui dis de ma part... » Langage et rythme jugés familiers plus tard.

18. 1637 : « Ce jeune chevalier... »

19. 1637 : « Pour souffrir la vertu si longtemps au supplice. » Vers plus expressif mais peu noble de rythme. Ce rôle passif et plaintif de l'Infante a été souvent critiqué et n'a jamais séduit les actrices. Mais la déploration sentimentale caractèrisait la tragi-comédie : rôle nécessaire donc, et aussi parce que l'Infante délibère entre l'honneur et l'amour, tout comme Rodrigue et Chimène. Ce qui donne son unité à la pièce.

20. *Sentiments de l'Académie :* « Cela n'est pas français ; il faut dire élever à un rang. » Peut-être ; mais *en un rang* traduit mieux la déception du comte et suggère même une mimique.

21. *Journées :* batailles ; cf. Bossuet : « Dans cette terrible journée où aux portes de la ville et à la vue de ses citoyens, le Ciel sembla vouloir décider du sort de ce prince (Condé)... » Inutile d'ajouter à l'orgueil du comte e l'opposant à années.

22. En 1637 :
　　　　　　　　... d'un petit ornement.

DON DIÈGUE

Épargnes-tu mon sang ?

LE COMTE

　　　　Mon âme est satisfaite,
Et mes yeux à ma main reprochent ta défaite

DON DIÈGUE

Tu dédaignes ma vie !

LE COMTE

　　　　En arrêter le cours
Ne serait que hâter la Parque de trois jours.
Corneille a supprimé ces quatre vers, sans doute parce que le comte y tenait des propos de « capitan », ou de fanfaron, comme l'observait non sans raison Scudéry.

23. Texte de 1637 :

... en de meilleures mains.
Si Rodrigue est mon fils, il faut que l'amour cède,
Et qu'une ardeur plus haute à ses flammes succède :
Mon honneur est le sien, et le mortel affront
Qui tombe sur mon chef rejaillit sur son front.

Suppression heureuse de ces quatre vers, qui faisaient longueur, au profit de l'effet dramatique au début de la scène suivante.

24. Sur l'emploi des stances au théâtre, voir la note 23 de *Médée*. Celles de Rodrigue ne sont pas un chant gratuit, mais une délibération active.

25. Vers 312 à 314 en 1637 :
Illustre tyrannie, adorable contrainte
Par qui de ma raison la lumière est éteinte,
A mon aveuglement rendez un peu de jour.

Des antithèses faciles; un ton peu viril. Correction heureuse comme toujours.

26. Voltaire place ici quatre vers supprimés après les premières représentations :
Les satisfactions n'apaisent point une âme;
Qui les reçoit a tort, qui les fait se diffame;
Et de pareils accords l'effet le plus commun
Est de déhonorer deux hommes au lieu d'un.

L'idée première de ces vers est dans Guilhem de Castro. Il serait absurde de supposer que Corneille a inséré dans sa pièce ces propos, puis les a supprimés pour prendre parti par rapport à la politique de Richelieu. Car il n'a pas écrit *Le Cid* pour traiter de la question de l'interdiction du duel.

27. Cf. le vers 1680 d'*Horace*. Vaugelas écrivait en 1648 : « Le mot *foudre* est un de ces noms substantifs que l'on fait masculins ou féminins, comme on veut. »

28. Texte de 1637 :
Je veux que ce combat demeure pour certain,
Votre esprit va-t-il point bien vite pour sa main?

29. *Sentiments de l'Académie :* « Don Sanche pèche fort contre le jugement en cet endroit d'oser dire que le Comte trouve trop de rigueur à lui rendre le respect qu'il lui doit, et encore plus quand il ajoute qu'il y aurait de la lâcheté à lui obéir. » Dirigisme culturel : on exige que le théâtre présente une image exemplaire de l'ordre politique et aide à la discipline sociale. Don Fernand est un excellent roi de tragi-comédie, dont l'autorité peut être contestée pour les besoins de l'intrigue.

30. Séville, capitale de l'Andalousie, reconquise sur les Musulmans deux siècles après, est substituée à Burgos, capitale de la Castille. « J'ai été obligé à cette falsification, dit Corneille dans l'*Examen*, pour former quelque vraisemblance à la descente des Maures, dont l'armée ne pouvait venir si vite par terre que par

les eaux. » Car la règle des vingt-quatre heures, ou unité de temps, s'était déjà imposée.

31. *Sentiments de l'Académie :* « Chimène paraît trop subtile, en tout cet endroit pour une affligée. » Ce dernier vers est même obscur, s'il est vrai que *cette triste bouche* désigne la plaie, empruntant la voix de Chimène. Il faut tenir compte de l'imitation du modèle espagnol qui a fourni l'image, de l'usage de traduire l'émotion du personnage par des figures de rhétorique ; et l'ensemble vaut par le rythme. Mais cette enflure n'a-t-elle pas valeur psychologique ? Ne trahit-elle pas l'effort de Chimène sur elle-même ?

32. Voltaire trouve quelque affectation dans ces vers, mais ajoute : « Par quel art cependant ces vers touchent-ils ? N'est-ce point que *la moitié de ma vie a mis l'autre au tombeau* porte dans l'âme une idée attendrissante, malgré les vers qui suivent ? »

33. 1637 : « Soûlez-vous du plaisir de m'empêcher de vivre. » Ce vers exprimait mieux l'état d'esprit de Rodrigue. Rien n'est plus fréquent dans les tragi-comédies de l'époque, qu'un amant désireux de périr par l'épée, instrument de la vengeance, ou venu apporter sa tête à son juge. C'était la traduction spectaculaire du déchirement intérieur, mais qui en restait, en général, au pur spectacle : discours conventionnels, sans nuances, qui soulignaient l'invraisemblance de la demande. Ici Rodrigue arrive avec le secret espoir de faire reconnaître la légitimité de son acte et de se réconcilier avec la vie et l'amour. D'où sa déception, quand il entend les dernières paroles de Chimène, et une amertume traduite assez brutalement. La correction, *Assurez-vous l'honneur*, dissimule le reproche.

34. Chimène reprend, en les adaptant, les deux vers prononcés par Rodrigue, 871 et 872. Ce qui suggère qu'elle construit son devoir par émulation.

35. *Retour :* ce qu'on ajoute pour rendre un troc égal. *Dictionnaire de l'Académie* (1694) : « Voulez-vous troquer votre cheval contre le mien ? Je vous donnerai dix pistoles de retour. »

36. Ce raisonnement est d'une logique implacable. La générosité consisterait à sacrifier son amour. Ce que cache l'acharnement déraisonnable à réclamer la mort de Rodrigue, c'est le besoin de rester présente dans l'esprit et le cœur de Rodrigue avec le secret espoir de n'avoir pas à renoncer à l'amour. Corneille n'a-t-il pas inventé ce qu'on appellera le marivaudage ? Le décalage entre les paroles et les sentiments.

37. Texte de 1637 :
        Et paraître à la cour eût hasardé ma tête,
        Qu'à défendre l'État j'aimais bien mieux donner
        Qu'aux plaintes de Chimène ainsi l'abandonner.
Ce dernier vers manifestait un mépris tout espagnol — ou du

moins qui se trouvait parfois dans le modèle espagnol — ou du moins qui se trouvait parfois dans le modèle espagnol — de la femme.

38. Observation de Voltaire : « Cette petite ruse du roi est prise de l'auteur espagnol ; l'Académie ne la condamne pas. C'est apparemment le titre de *tragi-comédie* qui la disposait à cette indulgence ; car ce moyen paraît aujourd'hui peu digne de la noblesse du tragique. » Mais il ne s'agit pas d'une situation tragique, apparaissant comme insoluble : dès le début le spectateur espère et sent que l'amour triomphera ; il s'accommode de cette ruse.

39. L'appel au jugement de Dieu par un combat est une donnée de la pièce. Le scepticisme du roi prévient la réaction du spectateur et fait ainsi accepter la donnée.

40. Audace de Corneille aussi qui n'a pas trouvé dans la pièce espagnole l'idée de cette seconde visite de Rodrigue. Mais n'est-elle pas justifiée psychologiquement ? Rodrigue vient d'apprendre que Chimène a choisi son rival don Sanche pour champion, et qu'elle a protesté contre la « dure loi » d'épouser le vainqueur, quel qu'il soit. Il ne lui en faut pas plus pour douter de ses sentiments : naïvement et en adolescent romanesque, il vient lui offrir de nouveau sa tête, c'est-à-dire de se laisser tuer par don Sanche.

41. Cet attendrissement sur son épitaphe future passe parfois pour un chantage. Mais Rodrigue n'est pas un Valmont ; il n'en a ni l'âge ni l'expérience. C'est en toute sincérité et avec l'imagination galopante de la jeunesse qu'il imagine ce sacrifice parfait.

42. En 1660, Corneille résume en deux vers le développement primitif que voici :

> ... sous un tel assaillant.

ELVIRE

Mais, Madame, écoutez.

CHIMÈNE

> Que veux-tu que j'écoute ?
> Après ce que je vois puis-je être encore en doute ?
> J'obtiens pour mon malheur ce que j'ai demandé,
> Et ma juste poursuite a trop bien succédé.
> Pardonne, cher amant, à sa rigueur sanglante ;
> Songe que je suis fille aussi bien comme amante ;
> Si j'ai vengé mon père au dépens de ton sang,
> Du mien pour te venger j'épuiserai mon flanc ;
> Mon âme désormais n'a rien qui la retienne ;
> Elle ira recevoir ce pardon de la tienne.
> Et toi qui me prétends acquérir par sa mort,

Ministre déloyal de mon rigoureux sort,
N'espère rien de moi, tu ne m'as point servie.

Il semble que Corneille ait senti que cette scène de
méprise avait besoin d'être courte pour être acceptée du
spectateur; de plus cela ralentissait l'action dramatique,
alors que l'usage est de l'accélérer au dénouement.

43. On ne peut pas comprendre *Prends un an, si tu
veux*, si l'on ne se reporte à la fin de la réplique pré-
cédente de Chimène dans le texte de 1637 (ce qui corres-
pondait aux vers 1806 à 1810 du texte revisé). Chimène
refusait simplement de se marier le jour même de la mort
de son père. La pièce se terminait bien, en bonne tragi-
comédie, à la satisfaction du spectateur, par l'annonce
d'un mariage. Mais, à cause de la protestation de
Chimène et aussi pour satisfaire aux bienséances, le Roi
faisait cette concession : « Prends un an, si tu veux, pour
essuyer tes larmes. » C'est pour tenir compte des critiques
faites à cette fille dénaturée et donner une valeur jugée
tragique au dénouement que Corneille a modifié le texte,
au risque d'égarer les futurs commentateurs. Sauf Voltaire qui écrit : « Elle ne dit point *j'obéirai*. Le spectateur
sent bien pourtant qu'elle obéira; et c'est en cela, ce me
semble, que consiste la beauté du dénouement. »

TABLE DES MATIÈRES

IMPRIMÉ EN FRANCE PAR BRODARD ET TAUPIN
Usine de La Flèche (Sarthe), le 30-07-1998
021/98 - Dépôt légal, août 1998